Олекса Даріан

ДЖЕРЕЛА ПАМ'ЯТІ

Видавництво
«Бібліотека українця»
Київ 2002

На обкладинці:
Свято-Михайлівський
Золотоверхий собор. (м.Київ)

ISBN 966-7419-66-5

Господь збудив чуття новітні

Блажен, хто істину обороняє
З науки Господа-Христа,
Хто від спокус себе охороняє,
Від сварок — серце і вуста.
Він, мов та скеля біля моря,
Об котру хвилі вічно б'ють,
Ніколи не зазнає горя,
Бо в нім слова Христа живуть!

Ці поетичні рядки Олекси Даріана — яскраве свідчення його чіткої, життєвої позиції.

А народився Олександр Даріан 25 лютого 1925 року в місті Старобільську Луганської області. Народжена 25 лютого 1871 року Лариса Косач стала великою поетесою Лесею Українкою. Вочевидь, Олексі Даріану, який з'явився на світ цього ж дня, хоча і на 54 роки пізніше, за волею Всевишнього також було даровано хист до писання. Правда, з'явився він у нього в значно пізнішому віці. Однак подібно до великої поетеси, життя Олекси Даріана було сповнене багатьох випробувань.

Батьки Олександра — родом із Черкас, із козацької старшини. Його хрещений батько працював учителем і часто, приходячи до них у гості, приносив цукерки й печиво, що дуже тішило хлопчика. Але поступово насунулися політичні хмари колективізації, продукти в магазинах зникли, почалися репресії, а пізніше — спланований голодомор. *Родина Олекси, без сумніву, перебувала під захистом Бога, бо він послав їм поляка Болислава Морозовського, котрий врятував їх від голодної смерті. Олекса крім того в ті часи хворів важкою формою малярії. Але Всевишній не дав йому загинути і знову послав іншу людину на поміч, котра завдяки добрим лікам поставила хлопчину на ноги.* Однак та хвороба підірвала його здоров'я і це відчував він ще дуже довго.

Мама Олекси закінчила медичний технікум і працювала медсестрою в хірурга-окуліста, а також багатьох людей лікувала вдома. Тато був вчителем музики по скрипці, добре грав на фортеп'яно, гітарі та кобзі, котру сам змайстрував ще в юнацькі роки. Оскільки батько співав і писав музику, то він разом зі своїми музично обдарованими друзями влаштовував у своїй хаті концерти, на яких вони виконували переважно козацькі пісні. Часи голодомору перервали ті прекрасні мистецькі вечори. Але після нього відновились і на них приходили ті музиканти, котрим вдалося пережити той страшний голодомор. Тато Олекси успадкував від брата-учителя і двоюрідної сестри-педагога інституту багату книжкову бібліотеку. Тож ті книги, які примушував батько Олекси читати вголос, і заклали добрий фундамент для майбутньої освіти Олекси Даріана. Особливо Олексу вразила розповідь про добродійника, доктора-філантропа Федора Гааза і він вирішив протягом свого життя наслідувати благодійні справи знаменитого добродійника..

Батько навчив Олексу грати на скрипці і на фортеп'яно. Також в дитинстві хлопчик дуже захоплював-

4

ся літаками і навіть майстрував моделі планерів, гарно малював для шкільної газети і отримував похвальні грамоти від вчителя малювання, а за навчання в школі навіть удостоївся почесної премії.

Дитячі роки Олекси Даріана минали серед чудової природи. Його назавжди полонив своєю красою садок, посаджений батьком. Любив він бувати і біля ставка з рибою, де росли густі верби. За ставком розкинулось невеличке озеро і зеленів гай. У вільні хвилини Олекса гуляв, милуючись навколишнім дивосвітом. Шепотіння очерету, що ріс у ставку, нагадувало йому таємничий людський шепіт. І завжди, перебуваючи серед тієї чарівної природи, Олекса відчував присутність Бога. У нього просив дати хоч щось з того, що бажано мати в такому віці: велосипед, годинник, гарний одяг. Йому так хотілося піти до парку, кінотеатру, поїсти морозиво тощо, а в кишені завжди було пусто. Так, зокрема, у 1940 році, коли Олексі виповнилося 15 років, у нього не було навіть святкових штанів і взуття, щоби піти на демонстрацію. А жили вони разом з батьками в хатині, збудованій з верби і глини та покритій очеретом.

У 1941 році, коли почалася Велика Вітчизняна війна, всіх юнаків призвали до військкомату, щоби навчити володінню зброєю і пізніше направити на фронт. Олекса ходив до загальноосвітньої школи, а також на всеобуч, де вчився на снайпера. Коли у грізному 1942 році німці пішли в наступ на Сталінград і Кавказ, його разом з іншими хлопцями і дівчатами відправили копати окопи і протитанкові рови. Там вони всі потрапили в німецьке оточення. І хоча Олекса разом з іншими хлопцями втік в Старобільськ, що був звідти за якихось 50 кілометрів, але через три дні, 12 липня, його місто вже зайняли німецькі війська і в жовтні Олексу разом з багатьма земляками відправили до Німеччини на примусові роботи. Везли в товарних вагонах дуже довго, годували людей так, аби не померли.

Життя в німецькому таборі, що знаходився у Дуїсбурзі, було важке і голодне, оскільки англо-американські літаки безупинно бомбардували місто. Фабрика, де працював Олекса, виробляла різноманітні елекричні кабелі. В таборі були українці, росіяни, декілька старших монголів, але всі жили мирно. Ні книжок, ні газет там не було. Тож Олекса прославився тим, що розповідав хлопцям про все, що знав від свого батька, зі шкільної парти, з прочитаних книжок. Хлопців-українців особливо цікавили розповіді про боротьбу козацтва з татарами, турками і ляхами, про походи отамана Сірка на Царгород тощо, а росіян — події від часів Івана Грозного і до створення СРСР. Невдовзі Олексу Даріана за його просвітницьку діяльність мешканці табору назвали політруком і завжди збиралися біля нього великим гуртом слухачів.

Після того, коли під час бомбардування в 1944 році була дуже пошкоджена їхня фабрика, багатьох хлопців німці перевезли в інші місця. Зокрема, Олекса потрапив до Зальцбургу (нинішньої Австрії), де він зустрів закінчення війни. Однак повертатися на Батьківщину побоявся, бо «батько народів» тоді заявив, що люди, котрі побували під час війни за кордоном СРСР, — вороги народу. В Австрії Олекса Даріан закінчив електротехнікум і вечірню школу автомеханіків. Працював автомеханіком при американській армії. Через політичні обставини він вирішив виїхати з Австрії і доля привела його в Бразилію, звідки через 9 років він перебрався до Сполучених Штатів Америки, де проживає понині, починаючи з 1959 року. В м.Чикаго закінчив технікум електроніки, а пізніше — і машино-будівельний. Працював у галузі електроніки, креслярем на машино-будівельному підприємстві, проектантом на атомному підприємстві. Знаючи українську, російську, німецьку, англійську і португальську мови, Олекса Даріан поступово розширив діапазон своїх знань. Він достеменно вивчив Біблію, а також — історію і релігію народів, астрономію, зоологію, медицину, архітектуру, техніку будування літаків, човнів, автомобілів тощо.

Протягом довгого часу Олекса Даріан не міг забути свою кохану дівчину з України, з котрою його розлучила війна. Чимало років ще сподівався щось довідатися про неї, зустрітися. Однак не судилося. І він нарешті одружився з іншою жінкою. Своїх дітей не має. Однак його дітьми, надією і розрадою стали вірші, котрі Олекса Даріан почав писати, коли йому сповнилося 55 років. Очевидно, Всевишній подарував йому цей талант за його почуття ностальгії до рідної України, за щирі молитви до Бога, за добре, велике серце, що чутливо переймається болями ближніх, яким завжди намагається якось допомогти. До речі, Олекса Даріан не лише чимало допомагає знедоленим в Україні, але й у свої вільні хвилини годує білочок, голубів, горобців, інших звіряток і птахів. Він щиро любить Бога, Україну, людей, природу. Тож його вірші такі ж щирі, як він сам, і тому подобаються його друзям, рідним, знайомим. Особливо схвально про поезії

Олекси Даріана почали відгукуватися поет із Чикаго Зиновій Маринець і редактор газети «Події і час» Анатолій Гороховський. Без сумніву, кожен читач нової збірки поезій Олекси Даріана «Джерела пам'яті» (перша книга «Сто віршів» вийшла в 1994 році) знайде для своєї душі близькі і хвилюючі мотиви. Зокрема, в одному з автобіографічних віршів Олекса Даріан написав:

Я пам'ятаю по війні
Оті щоденні з злиднях будні,
Але надіявся в ті дні
На сонячні часи майбутні.
Так, в мріях-гадках все було,
Не всі надії ті здійснились,
Життя в турботах прогуло,
Лиш давні згадки залишились.
Я тими згадками живу
В сучасні дні — одноманітні...
На поміч Господа зову,
Щоб Він збудив чуття новітні.

Тож, нових, радісних, поетичних почуттів Вам, дорогий Олексо Даріане, на многая, многая літа!

Ніна Бай, письменниця,
член Спілки журналістів України.

ДУХОВНІ МОТИВИ

Блажен, хто милістю багатий

Візьміть з сумлінням Божу зброю,
Спішіть до всіх нерідних вам,
Приблизьте вбогих теплотою
Листів своїх і телеграм!

Спішіть до тих, кому потрібні,
Доки є час на діло те,
І ділом тим, наскільки здібні,
Хай Божа милість в вас зросте!

Не тратьте в пошуках щоденних
Отих, хто більше любить вас,
Любіть самі усіх нужденних
Й даремно не втрачайте час!

А якщо думка набігає,
Що хтось із ближніх скривдив нас,
Блажен, хто злеє забуває,
Того душа в Христі весь час!

Моліться Богу, сестри, браття,
І всім прощайте, хто згрішив,
Нехай горить в душі багаття,
Чекайте в вірі Божих жнив!

2 листопада 1996 р.

9

Воскресіння

Мигтіли блідо срібні зорі
В безмежній далечі, вгорі,
Пташки, як чайки ті на морі,
Чекали ранньої зорі...

В саду всю ніч в гробу — печері
Христос похований лежав,
Та берегли солдати двері,
Щоб тіло хтось вночі не вкрав.

А сад з деревами й кущами,
У сні своїм відпочивав,
Та спалахнула враз вогнями
Зоря, невдовзі день настав.

Проснулось все, а тіні ночі
Безслідно зникли із землі.
Дивився день із сяйвом в очі
А сад тонув у сивій млі.

І тут здійснилось диво в світі:
Віднятий з гробу камінь став,
І в сяйві аури в тій миті
Христос із гробу враз повстав!

Солдати впали із тремтінням,
В страху лежали, як мерці...
І про Христове воскресіння
Пізнали світу всі кінці!

Січень, 1996 р.

Молитва

О, молитво, в цілім світі
Ти — бальзам на прикрі дні.
В кожній скруті, в лихолітті,
Помагала ти мені.

І беріг в молитві Бог
Серед бурі і тривог,
Як я духом падав чи хворів.
І тепер, в сучасні дні,
Коли зле було мені,
Я в молитві поміч відшукав...

Океан життя бушує
Часто з вітром льодяним,
Без страху між скель пливу я
В серці з Господом моїм.

І хранить в молитві Бог
Серед бурі і тривог
Хто б не падав, чи блудив.

І тепер, в сучасні дні
Помогла вона мені,
Бо в молитві Бога я просив...

19 вересня 1992 р.

Добра порада

І як на серці важко б не було,
Та скільки б старість і хвороба не гнітила,
Я вірою гоню від себе зло,
Бо в вірі є правдива Божа сила.

Бувають дні, коли сиджу один,
І в самоті душа моя страждає,
Та я забув, що добрий Божий син
Своїх овець самих не залишає.

Бо Він сказав: «В скорботі і в біді
Не падай духом, віруй, йди за мною.
І вийдеш переможцем в боротьбі,
Де б не зустрівся ти із сатаною!»

І ти, мій друже, духом не страждай,
Що очі, слух і тіло западає,
Ти на Христа надію покладай,
А Він про твій кінець, без сумніву, подбає.

І те, що ми живем на чужині,
Далеко від рідні, від батьківського дому,
Це все призначено тобі й мені,
Вселюблячим Отцем по наміру своєму.

Що є та туга чи ота печаль?
Страждання це — віддалення від Бога,
Збагнути все нелегко нам, на жаль,
Лиш вірою відчути маєм змогу.

Воскресіння Христа

Ріділа мла, змикали очі зорі,
Поволі повз між скелями туман,
Земля дрімала в смутних ризах ночі,
Росою блискав поміж кручами бур'ян...

В повітрі відчувалась свіжість ранку,
Ясніла скрізь небесна далечінь,
Шматочки хмар у кольорах світанку
Кудись пливли, землі подарувавши тінь.

Хвилюючись від жаху і надії,
Тримаючи безмовними вуста,
Були в жінок красивих спільні мрії:
Дійти до гробу Господа Христа.

У них від мрій і тягаря утрати,
Лягли глибокі зморшки на чоло,
Вони несли коштовні аромати,
Як дар Христу, що в звичаї було.

Швидка хода, поганий стан дороги,
Скрізь гострі камені, пошкоджене взуття,
Втомили і натерли їхні ноги,
Пригнітивши жіноче почуття.

Вони не знали і не мріяли про диво,
В душі була непевність, туга, сум,
Не відчували, що полегшення їм буде,
І не міняли від скорботи своїх дум.

На крилах мрій, в печалі безутішній,
Спішили до Христа їх стомлені серця,
Скорочував їм відстань крок поспішний,
А час ішов, здавалось, без кінця.

Нараз, крізь млу, як через ту завісу,
З-за хмари промінь сонячний блиснув
Так весело дрімаючому лісу,
Пташиний спів початком денним був.

Насталим днем відкрилась між горбами
Місцевість жаху — гола і пуста
Де йшов народ, збираючись гуртами,
Дивитися на страту Господа Христа.

А далі там, за схилами крутими,
Примкнувши до гори лежав зелений сад,
Він — з кедрами високими, старими
Де плив смоли пахучий аромат.

Де вітерець в гіллях шумить щоденно,
Де чути спад струмків і часом спів птахів,
Було від спраги й спеки неприємно
В душі тих стомлених від подорожі дів.

І ось, в саду, поміж дерев високих,
Де все ховалося у квітах і в кущах,
Із тугою в серцях і дум сумних, глибоких
Перед печерою скінчився дівам шлях.

І як були вони в той час іще сумними,
То чомусь раптом страх на них напав,
Як стали біля гробу з мріями своїми,
Де Йосип з учнями Христове тіло поховав...

    Але той гріб відкритий був й порожній,
    Та й камінь біля отвору лежав,
    І подив був, і страх у діві кожній,
    Подумали, що ворог тіло вкрав...

Вони з плачем до гробу нахилились,
А перед отвором два ангели сидять,
В одежі білій, зорями світились,
Узрівши дів, подбали їм сказать:

    «Не плачте діви, тут Христа немає
    І гріб Його, ви бачите — пустий...
    Він запевняв, що влади смерть не має...
    Хоч смерть прийняв, та духом Він — живий!»

Христос воскрес в своїй небесній силі,
Отримав перемогу з торжеством,
Як світло для життя над тлінням у могилі,
Над пеклом мук, над смертю і над злом!

Травень, 2000 р.

15

Псалом перший

Блажен, хто минає людей нечестивих,
Не ходить ніколи на зборища їх,
Господь його хлібом потішить на нивах,
На свято покличе Небесний Жених.

Він — мудрий противник всіх намірів грішних,
В законі Господнім знаходить свій вклад,
А всі нечестивці, в омані успішні,
Бажають усюди вчинити розлад.

У Божім законі усі міркування,
Йому посвящає і ночі, і дні,
І душам страдженним дає співчування,
Ходячим в пітьмі завжди світить вогні.

А що нечестивцям від Господа буде?
Вони, ніби вітром розвіяний прах,
В майбутнім Суддя їх Небесний осудить,
Спіткає їх скоро заслужений крах.

В Раю буде кожний, хто в святості чистий,
У вірі щоденно дорогою йде,
Шлях праведних Богу приємний, провісний,
А шлях нечестивих до згуби веде.

7 травня 1992 р.

Псалом другий

В неспокійні живемо ми роки,
Зуби гострить наш кожен сусід,
Збожеволіли їхні «пророки» —
Кожний військо готує в похід.

І планує нечестя наземне
Проти Господа прикрі діла,
Щоб потухло світило щоденне
В своїм здійсненню вічного зла.

Ворогам, Божа милість — це пута,
Божа сила — неволя для них,
І в слова безсоромні закутий
Денний гріх на дорогах земних.

Кров рікою в майбутнім проллється,
Затуманяться в злобі уми,
Та Господь в Небесах посміється
І зруйнує весь намір пітьми.

Він помазав Царя для народу,
Над Святою горою Його,
Тільки з Ним світ придбає свободу
Для душі обновління свого.

Бог сказав: «Ти — Мій Син знаменитий,
Я родив Тебе грішних спасти,
Ти і вірні Тобі в цілім світі
Будуть вістку блаженну нести.

17

Дам Тобі Я у спадок простори
Всіх земель, всіх народів, країн,
Проти гніву Ти станеш суворо,
Всі признають, що Божий Ти син!

Ти жезлом їх зруйнуєш залізним,
Розіб'єш, як той глиняний посуд,
Непокірні загинуть безслідно —
І звершиться Небесний їм осуд».

Зрозумійте, безумці на троні,
І навчіться, владики землі,
Щастя — лише в Господнім законі,
А Господь біля нас, як в імлі.

На повсталих вогонь розгориться,
А довірливим — милість Творця.
Преклоніте коліна, обличчя
І наповніть любов'ю серця!

10 травня 1992 р.

Псалом третій

Вороги помножились, Господь,
Як один, повстали проти мене,
Розірвати гідні мою плоть
І спалити в полум'ї шаленім.

Майже всі із гнівом промовляють:
«Не дає спасіння Бог йому».
Я не тільки вірю, але й знаю —
Не зійду у пекло, у пітьму.

Не стомлюся я Тебе гукати,
Щоб почув Ти на горі Своїй,
Господи, пошли нам благодаті,
Свою милість на раба ізлий.

Ти зі мною завжди дні і ночі —
Моя Скеля, Охоронець мій,
Дивляться на Тебе мої очі,
Проведеш мене у дім Ти Свій.

Ти не знищиш смертну мою душу,
І Ти завжди близько біля мене,
Зуби ворогів зціпити змусиш,
Зруйнувати наміри шалені.

Наді мною ворони голодні,
Думають, що тілом я помер...
Господи, спасаєш Ти сьогодні,
І благослови надалі відтепер.

9 травня 1992 р.

Псалом тридцять п'ятий

Погордливість — в душі у нечестивця,
Відсутність ревнощів присуща недбайливцю,
Страх Божий чужий їхнім душам, серцям,
Всевишній не побачить правди там.

Події їх підказані обманом
І душі занечищені дурманом,
Слова зрадливі є і темні.
Вони — сини погибельні й нікчемні.

Душа моя в Тобі подібна саду,
З плодів якого дістаю розраду.
Який я — знаєш Ти, мій добрий Володар.
Моя любов до Тебе, мов вівтар.

Лише в Тобі — джерела існування,
Для Тебе марне чисте дорікання,
Не стій далеко від дітей Твоїх,
Продовжи милості Свої для них.

Розвій всі наміри чужої пихи
І грішника позбав безглуздої потіхи.
Усунуті Тобою не зможуть встати,
А праведні Твої дістануть благодаті.

25 грудня 1992 р.

Псалом сорок перший

В спразі лань біжить до водопою.
А моя душа — до Тебе, мій Творець,
Не сумую я, бо Ти — зі мною.
Ти відсунеш мій земний кінець.

Змучилося серце в денній спразі,
Господи, утому загаси,
Я також, як інші, бідолахи,
Не бажаю, щоби був далеко Ти,

Хлібом і водою були сльози,
Коли всі питали: «Де твій Бог?»
Терпеливо зносив я погрози
Протягом земних тривог.

Я ходив тоді в багатолюдстві,
Славослів'я людям сповіщав
І в своїм щоденнім безприютстві
Клич душі до Бога все звертав.

Душе, чому ж знову ти сумуєш?
Довіряйся Богу в грізний час.
Та хіба ж ти й досі ще не чуєш,
Що тебе для радощів Він спас?

Я про Тебе, Боже, пригадаю
Із Йордану, і з гори Цоар,
Знав колись про це і нині знаю:
Буде мені втіхою Твій дар.

Звуть в безодню гучні водоспади,
Твої води наді мною пропливли,
Серце прагне Божої поради,
Щоб ми разом з Господом були.

Вдень до мене явиш Свою милість,
А вночі для Бога пісня є,
Я бажаю щастю, щоб світилось,
Й з Господом жило єство моє.

Господи, мій Боже, Ти — заступник,
То чому ж так зляться вороги ?
Проектує кривду переступник,
Господи, від злоби збережи!

Не сумуй, душе моя, не падай,
Не губися, стійко уповай!
Бога славити завжди я буду радий,
І земний побачу дивний рай.

23 травня 1992 р.

Псалом п'ятдесят перший

Що хвалишся злодійством, сильний?
Господь завжди в путі зі мною,
Він віджене від мене страх могильний
Своєю сильною рукою.

Язик твій ріже, наче бритва,
Ти любиш в світі тільки зло,
Та захистить мене молитва,
Щоб сонце радості зійшло.

Ти любиш пагубні розмови,
В лукавстві кожний час живеш,
Не маєш праведного слова,
За лицемірство смерть пожнеш.

Нехай всі праведні бояться
І теж сміються над тобою,
Як над великим святотатством,
Завжди готовим до розбою.

Хтось будував в грошах фортецю.
Злодійством жив отой барон.
Та це ж є гріх — хвороба серця,
Нестерпний, бісівський закон.

Я, мов зеленая маслина,
Що Ти для людства посадив,
Ти бережеш мене, як сина,
Бо з дня отрочества любив.

25 листопада 1992 р.

Псалом шістдесят другий

Боже мій! Боже мій! Боже мій!
Я шукаю Тебе від зорі.
Мою душу страждальну обмий,
Милість з ласки мені сотвори.

Плоть моя занепала в землі
Пересохшій, безводній, пустій,
Світ земний утопає у злі,
Уникаючи правди, в якій

Хочу бачити силу Твою,
Як великую милість Творця,
Я вустами її восхвалю,
Буду славить Тебе без кінця.

Я сховаюсь у тінь Твоїх крил
І залишусь з Тобою повік.
Ти мої беззаконня покрив,
Я з Тобою — новий чоловік.

Всіх шукаючих смерті мені
В вічну гибель зведе їхній блуд,
Ти Господь — на моїй стороні.
Вседержителя праведний суд.

Покараєш злочинців мечем,
Будуть звірям й птахам їх тіла,
А мене ти потішив тим днем,
Як душа моя враз зацвіла.

31 травня 1992 р.

Псалом дев'яностий

Живучий під дахом Всевишнього Бога
Говорить: ''Надіє моя і підмого,
Я завжди спокійний у дружбі з Тобою,
Тримай мене міцно Своєю рукою!»

Тебе охоронять Господні крила,
Під ними тобі Божий захист завжди,
Не будеш ти мати страху і безсилля
І не зазнаєш ніскільки біди.

Укриє тебе Він від жахів ночами
І зробить, що мимо стріла пролетить,
Здоров'я твоє Він підсилить ділами,
Хворобі до тебе прийти не звелить.

В бою будуть падати зліва і справа,
Загрозу від тисяч, мов пил, пронесе,
Тобі ж бо від Бога вшанована слава,
Тебе Він, як доброго сина, спасе.

І янголам дасть Він своє повеління
Тебе понести на небесних руках,
Щоб ти не спіткнувся в ходьбі об каміння
І був у безпеці в Твоїх всіх шляхах.

27 грудня 1992 р.

25

Псалом сто другий

Благослови, душе моя, Творця
І святість Бога, внутрішність моя.
Дари Господні в світі — без кінця,
Від перших днів, як стала твердь Твоя.

Душе моя, Творця благослови,
Не забувай всіх милостей Його,
Бо Він простить усі земні гріхи,
Скріпляючи усе моє єство.

За захист власного життя Творця молю
В безчисленнім рахунку тих щедрот...
Говорить Він: «Я милість враз зіллю
На твій з цілющими рослинами город.»

Життя твоє, немов життя орла,
Обновлення теж буде, як йому.
Бог з нами був спочатку від буття.
Він відділив від світла всю пітьму.

Є щедрим й милосердним наш Господь,
Тож гнів Його на нас не до кінця,
Грішить частенько наша плоть
І важко помиляються серця.

Так, як високо небо над землею,
Так добрий Бог, хто слухає Його,
Мов рідний батько всім, любов'ю Він своєю
Нам не жаліє блага свого.

І як далеко захід є від сходу,
Так віддалив від нас Він всі гріхи,
Людським синам дає уроками нагоду
Добро чинити навкруги.

По мудрості Він знає добре нас
І пам'ятає, що ми — тільки прах,
Він дав спочатку вічний нам наказ,
Щоб не загинули ми в пагубних гріхах.

Дні у людини в світі, мов трава,
Недовго тішиться в своїй красі.
Лиш милості Всевишнього слова
Є оздоровленням травиці, що росте.

Благословіння на синах синів,
Що пам'ятають Божий заповіт.
Господь — основа світових дарів
Таких, як і життя, тепло, вода і світ...

На небесах поставив Він вівтар
І все Йому підкорено в віках,
Хто з Господом, той — щастя володар.
Хто з Ним — тому незнаний страх!

Благословіте Бога небеса,
Усі його незлічені діла!
Душе моя, в тобі Творця роса.
Щоб плоть моя, як квітка розцвіла!

24 травня 1992 р.

Псалом сто одинадцятий

Блажен, хто любить заповіти Божі,
Хто перед Богом має страх завжди,
В своїм житті він буде насторожі,
Для того, щоб уникнути нужди!

В його житті — багатство, мудрість, сила,
І правда є супутниця навік,
Всім вірним Бог дає духовні крила,
Благословиться добрий чоловік!

Дурних балачок він не побоїться,
Бо серцем твердий з допомогою Творця,
Всі дні його, як світ зорі-дінниці,
Привітний погляд милого Отця.

Ощадності свої подарував убогим —
І щедрість з ним залишиться навік,
Живе щоденно він з молитвою і з Богом,
Та милує нещасних і калік.

30 травня 1992 р.

Псалом сто тринадцятий

Побачило море початок подій
І вмить розступилось, відкривши дорогу.
Господь — Вседержитель, Господь — Чудодій,
Всіх тих врятував, хто довірився Богу.

Прийшли до Йордану, потік він назад,
Захмурені гори, як вівці, стрибали.
Творець у природі влаштовує лад,
Сліпим дає зір, щоби радощі мали.

Що — море з Тобою, що — річка Йордан,
Горби, і долини, і гори, що — з вами?
Гадаю, що Бог мав задуманий план,
Щоб ви помінялись своїми місцями.

Трясеться земля перед Божим лицем,
Гора обертається в чистую воду,
Схиляємось ми перед славним Творцем, —
Всім людям дарує Він хліб і свободу.

Життя всім вселяє могутній Господь,
А ідол — творіння людини,
Із золота — тіло, не дух і не плоть,
Це просто — бовван, як шматок деревини.

Уста мовчазні, він глухий і сліпий,
Все мертве у нього: і тіло, і ноги,
Для віри він зайвий, як пень той старий,
Його визнає той, хто глуздом убогий.

Хто любить Творця, той — спокійний народ,
Виконує все і підлеглий закону.
Владика Ізраїлю — щит і оплот,
А також і дому вождю Аарону.

Хто Бога боїться, жаліє Він тих,
Дає все, що треба дорослим і дітям,
З Ним легко позбутися прикрощів всіх,
Які б не зустрілися людям на світі.

Він небо святеє залишив Собі,
А землю призначив природі і людям,
Життя — це дерзання весь час в боротьбі,
Повіки ми славити Господа будем!

Березень 2002 р.
Переклав з російського псалма
поета Берьозова

Псалом сто чотирнадцятий

Радію я, що Бог мене почув,
І що молінннями Господь не знехтував,
До мене з висоти Небес гукнув,
І поміч, і спасіння мені дав.

Мене хвороби смертні обняли,
Спіткали адські муки в цьому дні,
Печаль й скорбота смутку додали,
Гарячіші від полум'я в мені.

Тоді почав я призивать Отця:
«О, Боже, душу пожалій мою,
Позбав мене від адського кінця,
Сподоби бути у Твоїм раю.»

Хранить Господь всіх смирних, простодушних.
Я занеміг і Він в нужді поміг,
У спокій свій вселяється покірний,
Бо люблячий Господь від кривди запобіг.

Позбавлена душа моя від смерті,
Не проливається з моїх очей сльоза,
Покірні будьте, люди, Богу і не вперті,
Щоб при житті минула вас гроза!

2 грудня 1992 р.

Псалом сто сорок п'ятий

Поки живу, я буду славить Бога,
Йому співатиму, поки душа жива.
З князів не покладайтесь ні на кого,
До серця не приймайте їх слова.

Виходить дух в свій час із чоловіка
І в землю повертається свою,
Закон існує цей від віку і до віку:
Відходить кожен із життєвого шляху.

Блаженні ті, хто Божу поміч має,
«У кого є Надія на Творця.
Бог світ створив і все, що проживає,
Він вірний в своїм слові без кінця.

Сліпим Всевишній відкриває очі,
Зігнутих випростовує в ходьбі,
Він любить праведних, Він з ними — дні і ночі
А нечестивих — залишає в сліпоті.

Він береже прибулих із далека,
Підтримує вдову і сироту,
Все чує й знає, де є в світі небезпека,
Він — в небесах на вічному посту.

20 травня 1992 р.

Два славних заповіти

Є два безсмертних славних заповіти:
Один — в Шевченка, другий — у Христа.
Нехай їх зміст згадають божі діти,
Яка в них ціль, яка у них мета?

Христос навчає нас для всіх добро творити,
Любити ближнього і ворога свого,
Нікому кривди не чинити
І не бажати власності його.

А навіть тих, хто нас в обличчя вдарив,
Їм дозволяти знову вдарить нас,
І уникати різних денних чварів,
Й виконувати уряду наказ.

Христос казав: «Яка людині користь.
Коли вона придбає цілий світ?
За душу, що загубить в непокорі
Вона не зможе викуп заплатить».

Шевченко всупереч Христової науки,
Пролити кров зове у ворогів своїх.
Щоб нею заплатити за всі муки
І рідний край позбавити від них.

В цих Заповітах вибір є людині,
І думка скрита в них важлива, непроста.
Тепер свобода процвітає в Україні —
Кого нам слухати: Шевченка чи Христа?

23 березня 1993 р.

На День Подяки

Хай з нас ніхто не забуває,
Що хліб Господь нам посилає,
І за Його дари всілякі
Ми вшанували День Подяки.

Сторіччя тому в Новім Світі
Народ прибулий бідував,
Врожай поганий в тому літі
Від смерті всіх не врятував.

Із тих нещасних колоністів
Молився Богу той, хто міг,
Одне просили тільки: «Їсти!»,
Щоб Бог їм вижить допоміг.

А хто не вмер у році тому,
Щоденно мріями той жив,
Що попливе назад, додому,
Звідкіль човном своїм приплив.

І вже б здійснилася та мрія,
Весна погожою була,
Аж хтось на обрії помітив,
Що з дому поміч їм пливла.

Прибув човен і допомога,
Народ бадьорий духом став,
І воздали всі дяку Богу,
Бо він життя їм врятував.

І теж того самого року
Врожай багатий Бог послав,
Народ Йому зі свого боку
Подяки День ушанував.

19 жовтня 1984 р.

Танго

Манить, дзвенить, іде, зове дорога,
Іще шумить, іще п'янить весна.
Кінець мого життя залежить лиш від Бога,
Бо вже на скронях видна сивина.

Ідуть, спішать, біжать, летять турботи,
А роки тануть, як під сонцем лід,
Нас хтось настійливо тримає доти,
Поки ми відійдемо в інший світ.

І тільки серце знає, сумує і жде,
І вічно нас до неба зове,
Туди, де потухає страждання й печаль,
Туди, де розцвітає мигдаль...

І в тім краю нема ні бур, ні битви,
І всюди ллється спів святих пісень,
Співають там божественні молитви,
Стрічаючи веселий Божий день.

Всі люди там ласкаві і приємні,
А небо скрізь, мов якісний кришталь,
І панахиди душам є даремні:
Незнані в небі плач, журба і жаль.

3 грудня 1992 р.

Освіти мою душу, Христе!

Освіти мою душу, Христе!
Я зморився в житті-боротьбі,
Моє серце без Тебе пусте...
Віддаю його в жертву Тобі.

Подаруй мені зірку Різдва!
Я її до кінця збережу.
Ти почуй мої щирі слова —
Про скорботи свої розкажу.

Назови мене сином Своїм!
Якщо блудним, я згідний на те,
І прийми мене, Боже, в Твій дім,
Бо без Тебе життя пусте.

Сила крові, що ллється з хреста,
Хай на святість скерує мій шлях —
І раніше мовчазні уста
Тебе, Боже, прославлять в піснях.

Стане раєм квітучим моїм
Оцей світ, все в душі розцвіте,
І народжений словом Твоїм
Тебе дух мій прославить за те!

12 квітня 1993 р.

Подивися!

Що бентежишся даремно,
Відкидаєш чудеса?
Подивися, як приємно
Оглядати небеса.
Подивися на ті хмари,
Що пливуть у синю даль,
Як овець оті отари...
І на озера кришталь,
На далекі сині гори,
На вершини їх, сніги,
На степи і на простори,
І на трави та луги,
На прозорі води річки,
В очереті береги,
А в лісах — гриби, сунички,
І на вигоні стоги,
Подивися на всі квіти,
На гаї і на ліси,
Де веселі, жваві діти
І на дивний блиск роси,
На чудові сині очі,
На дівочий стан гнучкий,
І на зорі серед ночі,
На політ пташок швидкий...
Повідгонь свої сумління!
Все — від моря до небес,
Це святе Отця творіння —
Боже диво із чудес.

28 березня 1990 р.

Подяка Спасителю

Спасителю! Я дякую Тобі,
Що ти вказав дорогу до спасіння,
Без Тебе все життя проходило б в журбі,
І певного земного поклоніння.
До Тебе не було нікого на землі,
Хто б показав нам рятівну дорогу,
Твій піт, мов кров, котився по чолі,
Як ти за люд молився палко Богу.

Цей світ прийняв інакший шлях життя
І Твій Завіт ніхто не поважає,
Диявол каже нам: «Не треба каяття,
Бо Мати Божа і без нього грішників спасає»

Виходить, що даремно Ти помер,
Бо інший шлях існує, щоб спастися,
Так у церквах говориться тепер.
Чи варто в церкві отакій молитись?

Вмирають люди в смутку, в самоті,
Не знаючи дороги до спасіння, —
Забули, чому помер Ти на хресті,
Забули всі слова надії в воскресіння.

Хоч Мати Божа — праведна й свята,
І теж в Раю з Тобою проживає,
Твоя ж бо смерть з голгофського хреста
Відкрила шлях всім праведним до Раю!

Квітень, 1984 р.

38

Надія на святе майбутнє

Блаженні ми в своїй надії,
Що наближається той час,
Коли звершаться наші мрії
І Бог з Небес прийде до нас.

Зійде коханий наш Спаситель
На землю з славою й хвалою,
Наш Захисник і Визволитель,
І принесе Він мир з собою.

І Царство Боже запанує
Тоді усюди на землі,
І Бог могутній все зруйнує,
Що підлягало сатані.

Він всіх воістину розсудить
І від сміття очистить світ,
Його усюди приймуть люди,
Він зніме з них душевний гніт.

І люди раптом схаменуться,
Які в гріхах іще жили,
До Слави Бога навернуться
Вони в усіх кінцях землі.

Тоді почнеться святкування,
Прокляття зникне, зло і гріх,
Царя і Господа пізнання
Наповнить, безумовно, всіх.

Замовкне всюди плач щоденний
І зникне також злість і гнів.
Не буде бідних і нужденних,
Слабих і хворих ледарів.

Ніхто не буде там забутий
І одинокий на землі,
Ніхто не буде кимось гнутий,
Не будуть грішні в похвалі.

І вже не буде чути крику,
Наказу з кимось воювати,
Малий там буде і великий
Один одного шанувати.

Не буде там любов в соромі
Безшлюбних десь дітей родити,
І виганяти їх із дому,
Щоб їм на вулиці десь жити.

Всі будуть ситі і здорові,
Не мати страху за життя,
Заповнять світ міста чудові
І зникне все кругом сміття.

Тож всі створіння з нетерпінням
Чекають здійснення всіх мрій,
Коли наступить час прозріння,
Час всіх об'явлених подій.

І в книзі неба Бог запише
Отих, хто Слово визнає...
«Пошли нам Господи скоріше
На землю Царствіє Твоє!»

5 квітня 1992 р.

40

Заповіт

«Закладайте скарб на небі!» —
Так Христос нам заповів,
«Помагайте всім в потребі,
Хто б не був він, де б не жив!»

Може десь старенька мати
Бідна, немічна лежить
Та й не може гріш придбати,
Щоб поїсти щось купить.

Може, брат на Україні
Без плаща й чобіт сидить...
Може, бідній сиротині
Щось поїсти закортить...

Де ж тим бідним все те взяти
Необхідне у житті?
Їм посильно може дати
Той, хто серцем — у Христі.

Він колись в дитячі роки
Як вони, голодував,
Та й дорослим теж нівроку
Весь тягар біди пізнав.

Але Бог його із праху
Серед тропіків підняв,
Пожалів він бідолаху
І на зміст життя вказав.

І життя з тих пір у нього
Іншим напрямком пішло,
Любить він свого й чужого,
Як апостол наш Павло.

Намагається щосили
Поміч бідному подати.
Так діди його робили,
А пізніше — батько й мати.

14 листопада 1992 р.

О, Месіє, гряди!

Дні тривоги прийшли, чути скрегіт зубів,
Сльози, стогін і людські прокляття.
В ворожнечі бридкій діти мучать батьків
І в родинах панує нещастя.

О, Месіє, гряди в славнім сяйві зорі,
В променистій землі обновління,
Смерть і пекло навічно у порох зітри
Життєрадісним днем Воскресіння!

Непохитний нам мир встанови на землі,
Щоб святим співчуванням зігріте,
Вмить засяяло всім, наче сонце в імлі,
Царство правди Твого заповіту.

О, Месіє, гряди, воскресивши мерців,
Полікуй і сліпого, й німого,
Всіх живих Ти позбав від поганих всіх снів
І відчаю суспільства нового.

«Всі до мене прийдіть!» — ми почуємо клич, —
Військом дружнім, з'єднанням народу,
Не на бій вас зову проти злих ворогів,
Не на ту, у бешкеті, свободу!

Без вогню і меча виступайте на зло,
Не із прапором марної слави,
І лавровим вінком не вкривайте чоло
Проповідників вчинків кривавих!»

Об'єднайтеся разом в трудящу сім'ю,
Обробляючи землю святую,
І пожнете ви славу в Небеснім Раю,
Як відплату за працю земную.

Всі до мене прийдіть! У всеславний Мій двір
Щоб зі мною разом святкувати.
В святі Божім любов запанує і мир
Людство зможе те щастя пізнати!»

19 квітня 1992 р.

Дивлюсь вночі на ясні зорі...

Дивлюсь вночі на ясні зорі,
На дивну безліч всіх створінь,
Стою в цей час один надворі,
Лечу у мріях в далечінь.

Дивуюсь Божому творінню,
Що мільйони довгих літ
Усі ті зорі безупинно
На землю ллють свій дивний світ.

І от в цім колі всього світу,
Своєю часткою життя,
З земною кулею в орбіті
Круг сонця теж влучився й я.

Є певна ціль у цьому леті
І передбачена мета,
Щоб я в житті на цій планеті
Знайшов Спасителя-Христа.

Ішов із ним в житейській бурі,
Вивчав безсмертний Заповіт,
Й через Христа в моїй натурі
Засяяв правди Божий світ.

Без Бога важко зрозуміти
Людську присутність на землі,
Оті планети, їх орбіти
На всім небесному чолі.

18 грудня 1991 р.

Два мандрівники

Із Єрусалиму,
В Еммаус-село,
Наче б то гнані
Два колеги йшло.

Курява дороги
Липне на очах,
І зморились босі ноги,
В серці затаївся страх.

Вони, видно, уникали
Зустрічей з людьми,
В смутку тихо розмовляли
Про діла пітьми.

Про загублену надію
Мовили вони,
І не здійснену їх мрію
У минулі дні.

І розмовою зайняті,
Думали про те,
Як сховатись їм у хаті,
Де село глухе.

Щоб їх побут там зостався,
Царських слуг уник...
З ними нишком порівнявся
Вбогий чоловік.

Вони навіть не впізнали
Господа-Христа,
Вдвох і далі крокували
В дальнії міста.

«Ви про що поміж собою
Мову завели,
Чом з печаллю отакою
Вдвох у світ пішли?»

І Клеопа промовляє:
«Видно це мені:
Ти прийшов з чужого краю
В ці скорботні дні

І не знаєш про події...»
«Про які?» — спитав.
«Тут пророк в чудесній дії
З нами пребував.

Його вороги схопили,
Суддям віддали,
І як злодія, судили,
Потім розп'яли.

А ми думали, що буде
Він царем усім
І Ізраїля пробудить
В царствії Своїм.

Та не сповнилось бажання
Бо Він рано вмер...
Привела нас в здивування
Новина сестер.»

Говорили: «Вранці рано
Ангол їм сказав —
Він воскрес, і смерть попрана,
Бо із гробу встав...»

«Нетямущі ви, повірте,» —
Мандрівник сказав,
Ви Писання перевірте,
Чому Бог навчав.

Він в предвічнім Своїм плані,
Щоб те кожний знав,
За гріх світу на заклання
В жертву Сина дав.

І явив для всіх спасіння
Божий Син-Один...
Ось оселя у долині», —
Помічає Він.

Сонце за гору сідає,
День в ту мить потух...
Наших друзів залишає
Їхній новий друг.

Не бажають розлучитись,
Страшно ж в темінь йти...
Просять з ними залишитись,
Вранці лиш піти.

І коли вже зорі дальні
Сіяли над селом,
Друзі з Гостем у їдальні
Сіли під вікном.

Було видно через шибу
Міріади зір...
Друзям вмить в ламанні хліба
Прояснився зір.

Хто дігнав їй край дороги,
Йдучих в Еммаус,
Мандрівник отой убогий
Був Господь-Ісус.

Він незримий став, на диво,
Прояснилось їм...
Повернулись, без сумніву,
У Єрусалим.

31 травня 1992 р.

49

Наука Христа

Науки світло Господа Христа
Мене чарує дивною красою,
В нім істина, вся велич, чистота...
Я перед ним схиляюся душею.

Я в Нім знайшов, що сам душі бажав,
І радість неземну у серці відчуваю,
Бо все оте, що Він наукою вказав,
За всі багатства я не проміняю.

Прийшов на пам'ять день мого життя,
Коли звернув на праведну дорогу,
Тоді прийшло сердечне каяття
І я віддав життя служінню Богу.

З тих пір мене питають навкруги:
«Чому пішов я іншим світу шляхом?»
І посміхаються Христові вороги,
В яких життя це — гордість певним фахом.

Мені говорять, що один девіз
Сьогодні може бути у людини:
Горілку пий, танцюй і веселись,
Бери з життя приємні лиш години...

І з різним почуттям навколо гомонять:
Одні, неначе б то добра мені бажають,
Інші мене не хочуть навіть знать,
А треті — ненавидять, зневажають.

А я бажаю, щоби зміст всіх слів моїх
Був зрозумілим, пам'ятним уроком,
І всіх «доброзичливців» отих
Примусив би покаятись нівроку.

Я твердо знаю дорогу лиш одну,
Вона — правдива істина Христова.
Прокиньться, люди всі, від пагубного сну
І засіяє в вас зоря спасіння нова!

Звичайно, знаю, важко зрозуміть,
Що значить в Бозі нове сотворіння,
Бо це потрібно серцем пережить,
Себе Йому віддавши на служіння.

Для Царства Божого усім можливий хід,
І як веде когось життя крива дорога,
Нехай шукає той надійний, добрий слід,
Який веде в покаянні до Бога.

Коли б Христос мене від гибелі не спас,
Піднявши миттю з темної безодні,
То був би я, як хто багато, у цей час,
Рабом страждань і звичок до сьогодні...

І що ж говорять нині про Христа?
Безбожні його зневажають,
Для них він — міф, легенда, темнота
І іншого вони не знають.

Ну, що ж із того, що та темнота
Від сили зла усіх людей звільняє,
А те життя, у котрім — пустота,
Вона глибоким змістом наповняє.

І людям, що спустилися на дно,
Дає нові і праведні бажання,
Чого вчинить не може ні одне
Людське, теперішнє навчання.

Я перед дивною цією темнотою
В подяці голову низенько нахиляю,
І перед світом власною душею
Її сердечним світом називаю.

Ні, не мене потрібно пожаліти,
Я вже спасенний є від гибелі і ада.
О, як би всі могли те зрозуміти,
Яка душі відродженню завада!

10 березня 1992 р.

Луки, розділ 2:25-34
«Семен»

Семен блаженний, звісно нам,
Він був натхненний Божим духом
І ним приведений в той храм,
Щоб всі почули власним вухом,
Що в світ родився Божий син
Ізраїль дією прославить.
Він в Бога був і є — один
Хто від гріхів людей позбавить.
Одні повстануть, ті — впадуть...
Він буде темою балачок,
До ніг Його усі прийдуть,
Щоби зцілитись від болячок
І від погибельних гріхів
Обвивших душі в павутину,
Позбавить звичок — ланцюгів,
Що люд штовхають в домовину.

Семен на руки взяв Дитя,
Благословив Його й промовив:
«Моє кінчається життя
По Твоєму, Владико, слову,
Бо я побачив дивний план
Того спасіння, і свободу,
А також світло для поган,
Во славу нашому народу!»

Я тішусь свідченням отим
Про ту надію на спасіння...
І через віру, тільки Ним
Пожну душі своїй нетління.

27 березня 1991 р.

Моя мета

В духовній потребі
Люблю я Христа,
І бути з Ним в Небі —
Доцільна мета.
Хоч гріх, мов ті пута,
Заплутав мене,
Любов незбагненна —
Спасіння одне.
Любов, що Владика
Дав Сина свого,
Щоб ми сповідали
Його одного!
Він є Посередник
Між Богом й людьми,
Ним душам спасіння
Здобудемо ми.
Люблю я читати Христа Заповіт.
Хоч лютий, поганий, загублений світ,
Та все ж є надія на милість Отця,
Бо добра для людства надія оця.
Я, сам, мов в болоті,
Благаю Того,
Хто вмер на Голгофі
Для щастя мого.

Великий Спаситель,
Господній Ти Син,
Ти — Бог і Учитель,
В Отця Ти — Один.
Крім Тебе немає,
І ще не було,
Хто грішних спасає,
Що впали в багно!

Могутній мій Боже,
В молитвенний час,
Хай Дух допоможе
Почути твій глас!

21 жовтня 1992 р.

Слова Христа

Одна біблейськая вдова
Дві лепти в жертву положила.
Христос сказав про це слова:
«Вдова безсмертя заслужила,
Бо всі частину лиш дають,
Вона ж — дві лепти, все що мала,
Не всі багаті в Небо йдуть,
Вдова життя в раю придбала»!

26 січня 1986 р.

Гріх

Людськая гордість — гріх важкий,
За нього Бог людей карає.
Запобіжить хворобі цій,
Той пацієнт, котрий Завіт вивчає.

Хоч ми і ставимо свічки
І всі співаємо у хорі,
Це нам не згладжує гріхи,
Ми і надалі духом хворі.

Ми поважаємо людей,
Тих, хто диплом освіти має,
А всіх невченних, мов свиней,
Чомусь щоденно уникаєм.

Хто прагне мати «кадилак»
Й для себе одяги коштовні,
Мов безсердечний той дивак,
Що загубив дари духовні.

Він, як ялинка на Різдво,
Яку господар прикрашає,
Але, як пройде торжество,
Її у сміття викидає.

В поганих звичках і ділах
Живем щоденно в грішнім світі,
Хоч ми і мудрі на словах,
Але — недбалі в Заповіті.

Ми зневажаємо Христа
В шуканні легшої дороги,
Але надія ця пуста,
Бо не дає спасіння змоги.

Усі засліплені «отці»
Ідуть непевними шляхами.
Коли ведуть сліпих сліпці,
Потраплять всі до ями.

Христос чекає каяття,
Щоб знов людину відродити,
Без цього методу життя
Не можна в небі сотворити.

14 січня 1992 р.

Час проходить

Годинник у мене і в нього
Рахує частинки годин...
В житті є багато усього,
Та час — важливіший, один.

Час, мов начальник суворий.
Вказівка біжить, вказівка біжить,
Навіть хтось жвавий, бадьорий
Може померти вмить.

Бо жити людині не вічно,
Хоча би до сотні років...
Та треба щоденно й щорічно
Вивчати, що Бог заповів.

Тому не треба чекати,
Бо час, як вода пливе...
Людина повинна знати:
Хто із Богом, той вічно живе!

20 вересня 1993 р.

Наш світ

Світ стогне віками під тиском гріха,
Прийти до Христа не бажає,
Душа Його слову спасіння глуха,
Всю правду Його відкидає.

Як довго цей світ буде йти без Христа
В гріховній своїй насолоді?
Всі світські потіхи — одна суєта,
В'язниця душевній свободі.

Світ в пошуках щастя на місяць зійшов,
Всю землю прорив під ногами,
На дні океанів він скарби знайшов,
Гігантськими вкрився містами.

Повітря і воду він забруднив
Для слави, прогресу, культури,
Та щастя і трохи собі не здобув,
Не зрікся своєї натури.

Подумай же, світу, куди ти ідеш
В невірному щастя шуканні?
Без Бога ніде ти його не знайдеш
І скінчиш своє існування!

27 березня 1993 р.

Мій Патрон

Мій Патрон — це Христос,
Він за мене помер
І пішов в своїй славі до неба.
Він живе в моїм серці,
В душі і тепер,
Бути з Ним — це душевна потреба.

Хто не любить Христа,
Той із світом живе,
І від нього пожне смерть духовну,
Бо відкинув нагоду спасіння з хреста
Через спілку зі світом гріховну.

Подивися, мій друже, куди ти ідеш,
Пробудися від денної сплячки,
Бо ти суду і пекла ніяк не минеш
Наче хворий, своєї болячки!

Бог зорить із небес!
Син із мертвих воскрес
І зове нас ласкаво до Себе.
Ця подія найбільша із різних чудес,
Бо відкрила дорогу до неба!

Серпень, 1984 р.

Два псалми

Як навчився я читати,
То мені вказала мати
Псалом перший Псалтиря,
Із старого букваря.

Довелось пізніше взнати
І псалом сто сорок п'ятий,
А в цих псалмах — вся наука:
І мораль і запорука.

Як оцих псалмів не знати
Неможливо мудрим стати,
Вони гідні для людини
Незалежно від країни.

А хто псалмів цих не знає,
Той сліпим в житті блукає
І не бачить він дороги,
Для душі — перестороги.

І чому ж то наші люди,
Що розкидані повсюди,
Отих псалмів уникають
І не знають, що шукають?

Особливо, цьому Краю
Я псалми оті читаю,
Бо вони ж то, слава Богу,
Вірну вказують дорогу!

14 лютого 1992 р.

Чому?

Якщо нас Бог так полюбив,
Що шлях вказав, як треба жити,
І заповітам нас навчив
Кому належиться служити,

Чому ж то люди у цей час
Десь іншого шляху шукають,
І наші пастирі всіх нас
Людській фантазії навчають?

Як приклад взяти, Сам Христос
Сказав про Себе: «Я — дорога!»
Даремно лізти в гущу лоз,
Шукати там шляху простого.

Христос сказав, теж: «Я — любов,
Потрібно й ворогів любити!»
Хто по шляху такім пішов,
Той вміє Господу служити.

Христос навчав про каяття,
Як спляче серце пробудити,
Без серця, нового життя
Не можна в Дусі заробити.

А в притчі з Лазарем сказав:
«Немає в небі переходу!»
По вмерлих службу той додав,
Хто зі Христом не чинить згоду.

Христос всіх звав: «До Мене йдіть,
Я — Бог, Спаситель і Месія!»
Невже це тяжко зрозуміть,
Що лише в Нім — життя надія?

Та наша церква зле навчає,
Що не в Христі для нас надія,
Бо Він лиш милує. Спасає
Блаженна в Господі Марія.

Напевно, ворог має план
Людей звернути із дороги,
Він засліпляє християн,
Щоб ті спастись не мали змоги.

Є книга «Новий Заповіт»,
Яка про шлях життя навчає,
Але людина любить світ,
А шлях спасіння зневажає.

А як життя її мине,
Та і хвороба теж спіткає,
Тоді про Бога спом'яне...
Та ще й на Нього нарікає...

Буває пізно вже тоді
У Бога милості шукати.
Немає помічі в біді
Хто в темряві любив блукати.

Отож існує шлях один,
Христом прокладений до Неба,
Бо на Голгофі Божий Син
Звершив усе, що було треба.

Тому, вивчаймо Заповіт.
Щоб знати все, що Бог бажає.
Занепадає грішний світ
І Бог невірних покарає!

24 жовтня 1987 р.

Порада другові

Мій милий друже, хто ти є?
Тебе із банку тільки знаю,
Я лише Слово (не моє),
Тобі, як другу, нагадаю:

Що віра в Бога, це не те,
В якій парафії співаєш,
Але знання Христа просте,
Яке щоденно ти читаєш.

Якщо наука є не та,
Яку Христос приніс для людства,
Життя особи — марнота.
Воно є гірше самогубства.

Нащо губити час дарма
І йти в житті шляхом незнаним,
Бо вже давно Христа сурма
Трубить Андрієм Первозванним.

Ти лише слухай серця клич:
Бажання істини — дорога,
Тоді не терен, а спориш
Покриє шлях твій в Рай до Бога!

13 жовтня 1992 р.

Суд над Христом

Вороги Христа арештували
Й до Пілата Понтія послали,
Щоб Пілат Його на страту засудив...
І правитель до роботи приступив.

Запитав: «Що в цій людині злого,
Бо я чую, скарги є на нього?
Від галасу став я аж глухий,
Чи ж то переступник він який?»

«Ми, — сказали, — маємо свободу,
Він же небезпечний для народу,
Говорив: «Податків не давати
І всіляку владу зневажати.»

Простий люд псує, як тільки знає.
Сам себе Христом Він називає,
Все лихе про Нього люди знають,
І Його за злодія вважають.

Сам Пілат їх слухав, як кричали,
Потім знак подав рукою, щоб мовчали,
Він Христа тим часом розглядав
І Його ласкавим голосом спитав:

«Ти Юдейський цар? І Ти Спаситель?»
Відповів на це йому Учитель:
«Ти, — сказав!» — і потім замовчав...
Люд довкола голосно кричав...

«Чуєш Ти, що клекіт наростає?
Твій народ бунтує, вимагає,
Щоб Тебе жорстоко покарати.
Як же довго будеш Ти мовчати?»

А Христос, неначе і не чув,
Та Пілат до натовпу гукнув:
«Жодної провини я не бачу в Нім,
Ви самі судіть Його судом своїм!»

Пілат в Преторію вернувся
І до Христа, як друг, звернувся:
«Ти звідкіля?» — Христос мовчав...
Пілат похмуро відказав:

«Чому мене не поважаєш?
Я владу маю. Ти це знаєш?
І повне право всіх судити,
А хто невинний — відпустити!»

І відповів йому Спаситель:
«Це правда. Зараз ти — правитель.
На суд Мене Отець віддав,-
Той винен, хто Мене продав!»

Пілат від слів цих розгубився
І від суда Христа, звільнився —
До Ірода Його послав...
Той зустрічі з Христом бажав.

А Ірод-цар був радий дуже,
Хоч до спасіння був байдужий.
Він бачить чудо все бажав...
Христу питання задавав...

Христос не вимовив ні слова
І тим скінчилася розмова,
Звелів Христа цар катувати,
А потім до Пілата відіслати.

Христа в Преторію вернули.
Пілат сказав, щоб люди чули:
«Вини за Ним не визнаю,
Йому свободу я даю!»

Не визнав Його Ірод винуватим,
Та фарисеї вимагали покарати,
Кричать з огидою:»Христа нам розіпни!
Ми — Авраамові сини!

Себе царем Він називає,
Закони людства відкидає,
Коли помилуєш Його,
Не друг ти кесаря свого!»

Пілат від слів тих розгубився,
Бо за посаду зажурився...
Водою руки він обмив,
Цим актом совість заглушив.

Та ти, Пілате, гріх не змиєш,
Твій прийде час і ти завиєш,
Бо ти на смерть Христа віддав...
Народ Месію розіп'яв!

27 січня 1993 р.

Наш вік

В наш вік залізний, атомний, ракетний,
Швидше, ніж звук летить аероплан,
І чоловік в просторі міжпланетнім
Розвіяв невідомості туман.

Прогрес у техніці, культурі, медицині,
«Життя поліпшало і стало веселіше!» —
Оцей ми лозунг чуємо донині,
Та людство не поводиться миліше.

Але хтось «мудрий», навіть «геніальний»
Знайшов і спосіб, як людей змінити,
Той метод — високий стан матеріальний
І соціальний новий спосіб жити.

Теорія чудова, а на ділі?
Всілякого злодійства фахівці,
Як бачимо, ідеї ті безсилі,
Тут щось прогледіли сучасні мудреці.

На жаль, людина головне згубила:
Про астронавтів голосно кричить,
А про Христа й Його духовну силу
Чомусь-то поміірковано мовчить.

Якийсь там лікар сповістив новину —
Знайшов вакцину... Всі про те кричать.
Христос лиш голосом оздоровляв людину
І мертвих воскрешав... Про це чомусь мовчать.

Христос ласкавим поглядом, бувало,
Міняв людей і змінював серця,
І вороги жорстокі один-одного прощали,
Мир наставав, і радість без кінця.

Нам скажуть: «Міф, хтось видумав цю казку,
Прості перекази, та хто повірить їм?»
Ми, на собі пізнавши Божу ласку,
Давайте говорити людям всім,

Що Бог-Ісус і далі ізціляє
Єдиним дотиком покривджених людей,
До нового життя померлих воскрешає
Ласкавим поглядом Божественних очей.

І, може, хтось прихилить нижче вухо
До певного свідоцтва про Христа,
І квіти зацвітуть в душі, де сухо,
І до води потягнуться вуста.

Води живої і Первопричини,
Якій немає ні початку, ні кінця
І будуть пити воду ту всі люди, безупинно,
Відкривши перед нею висохші серця!

21 квітня 1992 р.

Джерела пам'яті

Все проходить, міняється
На нещасній землі,
Та раптово згадається
Знов дитинство мені.

На великій тій відстані,
Мов у сяйві вогнів,
Я пізнав добрі істини
На зорі моїх днів.

Україненько, рідна,
Батьківщино моя!
Ти — страждальна і бідна,
Але все ж то — своя!

Бог походами дальніми
Довжелезних доріг
Щастя вічнеє дав мені
І від кривди зберіг.

Оглянувся, прокинувся,
Наче все було в сні...
В голодомор не загинув я,
Не пропав на війні.

Чи потрібно про все оце
Мені знову згадати?
Бог змінив моє серце,
Щоб безсмертя придбати.

Спогад серце зворушує,
Все пройшло на очах,
Вік, я бачу, примушує
Закінчити мій шлях.

Всі розмови порожнії,
Як життя промине,
Стрінуть Ангели Божії,
Знаю, скоро мене.

2 червня 1992 р.

Десяток восьмий...

Десяток восьмий — добрий вік,
Кому судилося дожити,
Та хто молитись Богу звик,
Той зміг і поміч заслужити.

Молитва всім з дитячих літ —
Це та вода, що точить скелю,
Вона розмиє і граніт,
Озеленить суху пустелю.

Подяка Богу за той дар,
Що береже його дитину,
Зніма з душі її тягар
Завжди в молитвенну годину.

Що ж вдієш? Доля — це той крок,
Який призначений людині...
Колись навчав один пророк,
Що зміст життя — у Божім Сині.

Христос несе і наш тягар,
Він поруч нас весь час крокує,
Людина — це той каменяр,
Котрий в молитві мур будує.

Хоча людина і слабка,
Та має дар молитись Богу...
Проблема вщухне будь-яка,
Хто із Христом шука дорогу.

Квітень, 1992 р.

74

Щастя і честь

Свобода не потрібна нам без діла,
Чекає нас духовна цілина...
Прийшла весна, верба позеленіла,
Проснулась й зацвіла черемуха рясна.

А новина Євангельська є мила,
Хвилює джерелом нас нових сил,
Вона життя у серці пробудила
І понеслась, немов, під вітром пил.

У храмах гнаних — зустрічі, привіти,
А також сльози радості в очах,
І в Божому служінні певні звіти
Горять яскравим полум'ям в серцях.

Брати мої, ви — мудрі в Божім слові,
За що були Ви гнані за Христа?
Ви і тепер, без сумніву, готові
Іти за віру в дальнії міста.

Свобода нам потрібна в нашім ділі,
В якому ціль одна важлива є:
Благую Вість нести в своїй духовній силі...
Служіння Богу радість нам дає!

2 квітня 1996 р.

Настане час...

Зазжди години, дні летять
І розцвітають, в'януть квіти,
Та слуги Божії не сплять
І славлять Бога їхні діти.

Хай океани і міста
У вірі вірних розділяють,
Але любов і кров Христа
В одну родину всіх єднають.

Хоча не бачим друзів ми
Очами плотськими своїми,
Але постійно ми самі
У вірі й думці разом з ними.

Колись такий настане час,
Що зникнуть віддалі між нами
І ми з'єднаємось якраз
З своїми сестрами й братами.

І спільно способом новим
Ми Бога будем прославляти,
Навік з'єднаємось із ним,
Прийшовши всі до Його хати.

Обмежень щастя там нема,
І не існує мли і ночі,
Дух Божий вірних обійма
І світять їм Христові очі.

4 серпня 1996 р.

Спочатку

Не зрозуміла і німа
Ознака Божого солдата,
Щемного часу в нім нема
І невідома його дата.

Його обрали у віках,
Коли ще був весь світ в зачатку,
Тоді той список був в руках
В Господнім слові, від початку.

Їх не родила кров і плоть,
Творець велів в Всевишній мрії,
Щоб послідовникам Господь
Спасінням став в святій надії.

Лежить на вибранцях печать,
Святого Духа — володіння....
Вони не можуть вже мовчать,
Щоб не казати про спасіння.

Весь час бажають сповіщать
Про чудеса Христа чудові...
Всім серцем Бога вихвалять,
Вони тверді і знані в Слові.

Ні пекло, смерть, ні дощ, ні град,
Їх не розлучать з вічним Богом,
Вони народам всім підряд
Світилом є по всіх дорогах.

І через вірний поступ їх
Про Бога свідчать всім усюди,
Та ворог геть біжить від них,
Йому противні Божі люди.

Березень, 1996 р.

Праведна теорія

Сковорода-пророк, Григорій
Вивчав схоластику нудну,
Зо всіх існуючих теорій,
Він вибрав праведну одну:
Це — заповіт Христа-Месії,
Хто за гріхи людей помер,
Та всі церковні «служби» тії
Христа цураються тепер.
«Отці» неправедно навчають
І служать вперто сатані,
Гріх на католиків скидать
І сперечаються в борні.

«Отці» змінили віру Божу,
Та спаса нового «кують», —
Малюють Діву з кимось схожу
І нею в пекло люд ведуть,
Христову книгу уникають,
Фальшиві нотки додають,
Не слову Божому навчають,
А що в апокрифах знайдуть.

Тебе, Григорію, шанує
Той, хто з Христом постійно йде,
Тобі повагу він дарує
І не цурається ніде!

Хоча на ймення не Григорій,
А Олександр — шановник твій,
Та так, як ти, з усіх теорій,
Сприймає Слово в правді всій!

24 грудня 2000 р.

Про молитви за дідів і прадідів

Багато літ, багато днів
Отець до Господа взиває,
Щоб усіх прадідів, дідів, —
Перетягти якось до раю.

А скільки треба служб разів,
Щоб ті мерці пішли до неба,
Щоб Бог тих грішників простив,
І молитов яких ще треба?

Але ж прощає Бог тоді,
Коли покається людина,
Яка живе в гріху-біді,
Бо в цім Христова є доктрина.

І сам Христос колись сказав:
«Немає в небі переходу!»
Хто ж панахиди відправляв,
Той із Христом не чинить згоду.

А все ж питаю я: «Чому
Отці не дбають в Заповіті,
Щоб дати дідові тому
Знання доцільне на цім світі?»

79

Так, в кожній службі, без кінця
Священик Господа прохає,
Щоб оживив Він знов мерця,
Але ж Христос не так навчає!

Та, може, ж наші всі діди
Пішли, із Господом до неба
Тому даремно нам тоді
Свій пхати ніс, куди не треба!

17 березня 1993 р.

Христос воскрес!

Радій, земля і даль небес:
Христос воскрес! Христос воскрес!

Даремно слуги зла і пекла
Христове тіло стерегли,
Сиділи там аж доки смеркло,
А впильнувати не змогли.

Христос воскрес, піднявся з гробу,
Порвавши смерті ланцюги...
Згасили ненависть і злобу
Його колишні вороги.

Даремно люди відкидали
Безсмертя Господа Христа,
А воскресінням всі признали
Доцільний зміст і честь хреста.

Так, мала правда перемогу,
Бо люд повірив: «Він воскрес!»
Як знак свідоцтва мала змогу
Фоми заява — сумнів щез.

Радій, земля і даль небес:
Христос воскрес! Христос воскрес!

Лютий, 1992 р.

Отче наш

Я чув, як в келії старій,
Дідусь, в присутності моїй
Молився мовою простою
Так, як умів, на вислів свій:

«Отець людей, Ти — Бог над нами,
Хай ім'я славетнеє Твоє
Святиться нашими серцями,
Хай прийде царствіє Твоє,
Твоя хай буде воля з нами,
Як в небесах, так на землі,
Насущний хліб давай всі дні
Твоєю щедрою рукою,
Як ми прощаємо людей,
Так грішних нас перед Тобою,
Прости Отець твоїх дітей!
Зроби покірними Ісусу,
І не введи нас у спокусу,
І від лукавого позбав,
Щоб він нас більше не чіпав!»

Так цей дідусь Отцю молився,
А потім втомлено підвівся,
І від молитви Богу тої,
Із серця, щирої, простої,
Чоло сіяло дідуся...
Й моя душа раділа вся...

Лютий, 2000 р.

ТУГА ЗА УКРАЇНОЮ

За морем

Півстоліття, мов чайка, літаю
Над просторами дальніх країн.
Україні, в душі відчуваю,
Я й сьогодні, як матері, син.

Час летить, як завжди, без упинку,
І витрати важкі навкруги...
Я бажаю собі відпочинку,
Щоби знати про власні борги.

Стелять тіні нічне покривало,
Хвилі б'ються об скелі тверді,
Багатьох, котрих знав, вже не стало,
І багато живе ще в біді.

В Україні потрібно людини,
Котра б міцно тримала кермо,
Бо чекають сусіди години,
Щоб їй знову надіти ярмо,

Щоби зникла воскресла держава,
Яку визнав недавно весь світ,
Щоб навіки зайшла її слава,
І Шевченковий вмер заповіт.

23 березня 1993 р.

Дивлюся я на ясні зорі...

Дивлюся я на ясні зорі
В безхмарну літню темну ніч,
В отім небесному просторі
Я в мріях з ними віч-на-віч.

І за межею тої мрії,
Без сумніву і взагалі,
Вони є свідками події
Про всю історію землі.

Вони свідомі про трипільців,
Про скіфів — предків всіх слов'ян,
Також сарматів-українців
І всіх пізніших християн.

І зорі бачать всі могили,
Де скіфи славні вічно сплять,
Котрі в стару добу спочили,
Й на нас невидимо глядять.

Стара сарматськая країна
Колись змінила те ім'я:
Давно зоветься Україна,
Звідкіль походжу також я.

Чи я нагоду буду мати
Відвідать знову рідний край
І в нім стареньку бідну хату —
Колишній мій дитячий рай?

18 вересня 1981 р.

Спогад

Хотів би я зійти на гору,
Де юнаком не раз бував,
Здається, був на ній учора...
Цей спогад в пам'яті постав.

З тих пір спливло багато часу,
Як я востаннє був на ній,
Все пам'ятаю я прекрасно,
Що бачив на горі отій:

Внизу стояла моя Мати
І гучно звала, щоб сходив
Везти візочок помагати,
Який я з нею залишив.

Пізніше й Мати теж за мною
Пішла в далеку чужину,
Лягла в могилу молодою,
Забравши вроду чарівну.

Вона мені заповідала
Не забувати Україну,
І брати в шлюбі замовляла
Своєї нації дружину.

Та чи була на світі мати,
Яка б не дбала за дитя?
Поет не в силі описати
Те материнське почуття!

Зосталось все на Україні:
Гора та молодість моя,
Давно живу я на чужині
І тут помру, напевно, я.

25 грудня 1985 р.

Моя Україна

Ти, Україно, ти — моя,
Весь час душа до тебе лине,
В думках лечу до тебе я,
Бо ти — кохана Батьківщина.

Із чим порівнюю тебе?
Таких, як ти, ніде немає.
І за князівство будь-яке
Й за всі скарби не проміняю.

Твої вірші, твої пісні
Я декламую і співаю,
В холодну осінь й навесні
Твоє дихання відчуваю.

Хоч, може, десь, в чужій землі,
Живе народ в усіх розкошах.
Але на всім земнім чолі
Ти, Україно, найдорожча.

Ти, між країнами тепер
Постала враз, як гарна пава,
І дух дідів твоїх не вмер,
Як і твоя козацька слава!

9 жовтня 1992 р.

Туга за земляками

Так, кожний рік один за одним
Відходять в вічність земляки.
Сумую я за вмерлим кожним
В еміграційні всі роки.

Одних я знав, а інших — бачив,
Та всі вони — одна сім'я,
Душа моя за ними плаче —
Така природа вже моя.

Один від старості вмирає,
А інший — в віці, як дитя,
Хтось від горілки погибає,
А хтось — з розпусного життя.

І хоч лиш тіло в нас вмирає,
А дух і далі десь живе,
Та за порогом кожен взнає,
Яке життя його нове:

Якщо життя гуляще любить
І не зважає на Закон,
Пекельний змій того погубить,
Вселивши духів легіон!

Хто жити в правді добре вміє
І служить Господу завжди,
Той, як зістариться, зрадіє,
Бо не пізнає він біди.

А ви, живущі, не сумуйте,
Що старість вже біля воріт,
Своє здоров'ячко пильнуйте
Й читайте Новий Заповіт!

1982 р.

Подорож в далекий край

Неспокійно в Чорнім морі:
День і ніч воно шумить,
В глибині, на всім просторі
Безліч жертв у нім лежить.

Вітром свіжим в стійкій силі
Я наповню парус свій,
Полетить на чорні хвилі
Швидкокрилий човен мій.

За межею непогоди
Є далекий славний край,
Там є статуя Свободи...
Там — земний правдивий рай.

І туди виносять хвилі,
Тих, хто — мужній і міцний,
Буде буря в повній силі,
Та не спинить човен мій.

Обступили море хмари,
Піднялися вищі хвилі,
Всі вони, мов яничари,
Не страшні нам в жодній силі.

Зникли з зору Кримські гори,
Хвиля човен колихає...
Хлопців смілих Чорне море
Криком чайки проводжає...

5 травня 1992 р.

Верба

Верба над тихою рікою
Схилилася, немов в журбі,
Була колись вона стрункою,
Як та тополя на горбі.

Життя, як літо, пролетіло...
Та якось буря надійшла,
Гілля їй блискавка побила,
Вода лиш тріски понесла.

Кудись, у край нам невідомий,
Звідкіль немає вороття...
Я був давно про те свідомий,
Що старість людям, як тюрма.

Про ту вербу співала мати
Частенько пісню жалібну...
І думою лечу я в хату
Мою далеку, весняну...

У ній я в світ цей народився
І все дитинство там прожив,
В війну в чужині опинився,
За океан Господь привів.

Мабуть, що хати вже немає
Й даремна є моя журба
А хто тепер із рідних знає,
Чи ще стоїть стара верба?

Травень, 1985 р.

Дніпровські пороги

Віки за віками джерельна вода
Гранітні породи точила
І там, де залишилась скеля тверда,
Пороги Дніпра утворила.

Кружляли у вирі шалені струмки,
Аж бризки в повітря летіли,
Постійний їх клекіт, потоки дзвінкі
Всі звуки навколо глушили.

Отак безупинно всі довгі віки
Вода в водоспадах ревіла,
Ота вся завада порогів ріки
Човнам перешкоду творила.

Науки людської шалений прогрес
Досяг над Дніпром перемоги:
Збудовано дамбу, а ще — Дніпрогес,
Закривши водою пороги.

І піднята штучно дніпровська вода
Закрила завади собою,
Скінчилася довгих віків боротьба,
Скорилася волі людської.

Вже зникли порогів найменші сліди,
Хоч скелі існують і далі,
Але заховались під шаром води,
Замовкли в безсилій печалі.

Ще видно Хортицю, вершину її —
Фортецю героїв козачих,
Про котрих говорять писання мої,
Хоча я той острів не бачив.

Пливуть пароплави й вантажні човни
У Київ із Чорного моря,
Та вже не страшаться ні трохи вони
Зазнати пошкодження — горя.

24 грудня 1991 р.

Туга за Україною

Ти, Україно — рідна мати,
Я — твій забутий блудний син.
Коли можливість зможу мати
Вернутись знову до сторін,
Де я уперше світ побачив,
І теж почув, як ворон кряче?..
Там річка з чистою водою
Текла спокійно під горою...
На ній стояв старенький млин..,
Приємний спогад тих сторін...
Мені б побачити хотілось,
Що в тій місцевості змінилось,
Попити доброї водиці
Із лісникової криниці,
Там, де на пасіці із татом
Мені траплялося бувати.
Хотів би бачити Донець,
Гайдар і Деркул — ті притоки,
Та оглянути під кінець
Згори — пристіну діл широкий...
Там, де ті ріки протікають,
Садки весною розцвітають,
А літом в вербах уночі
Кричали, плакали сичі.
Хотів би брата навістити,
І в друзів трохи погостити,
Та їм пригоди розказати,
Які змогли мене спіткати...
Та я забув про наші квіти —
Чудові Божі самоцвіти...

Згадаю також під кінець:
З них найпахучіший чебрець.

У сні я хату рідну бачив,
І також чув, що ворон кряче,
В високих синіх небесах
Мені співав незнаний птах.

Далеко, в східній Україні,
Є рідне місто у долині,
В цвіту акації втопає...
Моя душа за ним страждає.

9 квітня 1981 р.

Про Україну

Сонце освітило Кримські гори,
З півночі — степи, а з півдня — море,
Там орли над скелями літають,
Здобичі орлятам виглядають.

Той куток, це — південь України,
Прірви там і кручі, як ті стіни,
Вітер з моря завжди повіває,
Верховину хмарами вкриває...

Є місцевість в східній Україні,
Не стрічав подібної донині,
В ній — крейдяні невисокі гори
І піщані степові простори.

Гори ті над тихою рікою,
Поросли кущами і травою,
Навесні струмки із гір спадають,
Жайворонки весну прославляють.

Є й на заході моєї України
І ліси, і гори, й полонини,
Ранішні й вечірні срібні зорі
І джерела, як кришталь, прозорі.

Незабутня рідна Україно,
Ти із Богом хрещенням єдина.
Пам'ятають добре всі кияни,
Як в Дніпрі хрестилися міщани.

Вже прийшла до тебе гучна слава,
Незалежна стала, ти, держава.
І немає в світі вже людини,
Яка б не знала нашої Вкраїни.

Серпень, 1985 р.

Вечірній дзвін

Вечірній дзвін, святочний дзвін,
Багато дум наводить він,
Про юні дні у ріднім краю,
Де я кохав, де хтось кохає.

І як я місто залишив,
Де довгий час з батьками жив,
Мені не чути рідний дзвін,
Але у вухах дзвонить він.

Немає друзів вже живих,
Колись веселих, молодих,
І земляків з рідних сторін,
Не чути їм вечірній дзвін.

Спочину я в землі сирій,
А наді мною спів сумний
В долині вітер рознесе
І інший хтось по ній пройде,
І, може, чути буде він
Отой душі приємний дзвін.

23 квітня 1992 р.

Магічний ставок

Я знайшов ставок чудовий
І у ньому враз скупнувся,
І, як в казочці, раптово,
Сильним вітром обернувся.

Полетів над океаном
В незалежну Україну,
У Карпатах із туманом
Закрутився в хуртовину.

Пролетів над Бориславом,
Над полями, поза Львовом,
Щоб в своїм пориві жвавім
Не зірвать дахів раптово...

В наддніпровськім славнім краю,
У гаю густім зеленім,
Сполохнув грачину зграю
Своїм віянням шаленим.

Пролетів над Чорним морем,
Підняв хвилі бурунами,
А пізніш — диханням кволим
Дув над кримськими горами.

Та підсилився я знову,
Коли віяв над Донбасом,
І до цілі поступово
Прилетів вже пізнім часом.

І повіяв над Гайдаром,
Вздовж гори понад пристіном,
Знаним лісом, полем, яром
Та старим водяним млином.

І кружляв пізніш тихенько
Над дахом старої хати,
В котрій в зимній день раненько
Породила мене Мати.

Там я ріс колись спокійно,
Підкорившись Божій волі,
І, здавалося, постійно
Буду я щасливий в долі...

Та пішов у світ-за-очі
Залишивши Україну,
І в краю, по той бік ночі,
Часто згадую хатину...

21 січня 1992 р.

Думкою пана Сергія Олійника

Я часто згадую свій край,
Свою улюблену хатину,
Ставок побіля хати, гай,
За ним — широку луговину.

Там я веселим юнаком
Гасав по полю, по левадах,
Все те здається давнім сном,
Як спів — переказ у баладах.

Не сходить з спогадів моїх
Одна важка, сумна година,
Як залишав я родичів своїх,
А особливо — свого сина.

І я країну залишив
Та й покорився Божій волі,
А думкою і далі з сином жив,
Бажав йому щасливу долю.

Мій син, підрісши, дещо взнав,
Що я тепер живу за морем,
Він вже давно дорослим став,
А я, на жаль, старим і хворим.

І от нарешті надійшов
Лист, ще й фотографія від сина,
Я навіть слів тих не знайшов,
Щоб висловить, що принесла оця новина.

На фото хата рідна та,
Де жив у ній колись з батьками.
Я бачу двері, два вікна,
І щось посаджене рядками...

А на даху своєї хати
(Не можу добре розпізнати)
Та то ж обруч, що я закинув
Ще до війни, малий хлопчина.

Не можу вірити очам,
Що він лежить донині там.
Із часом вгруз в стару солому
Мов знак, мов сторож мого дому.

Я може дня того дождуся,
Що знов додому повернуся
І, якщо силу буду мати,
Здійму обруч отой із хати.

2 грудня 1989 р.

Портрет

Картина — кімнати прикраса,
І як вранці засяє зоря,
То промінь голубить Тараса,
Поета мого — Кобзаря.

Давно вже я образ цей маю,
Він — там, де ікона була,
На дошці із рідного краю —
Дружина колись привезла.

Я часто звертаюсь до нього,
Неначе до друга свого,
Питаю порад для нового,
До змісту, писання мого.

Він поглядом щиро говорить,
Хоча його чую і в сні:
«Те все, що душа твоя творить,
Є також приємно й мені.

Що ти Україну кохаєш,
Неначе б то Матір свою,
І те, що в віршах прославляєш
Кохану Вітчизну мою».

30 квітня 1992 р.

З земної Вітчизни

З земної, давньої Вітчизни,
Коли на небо дух летів,
Тоді в сльозах сумної тризни
Лунав жіночий ніжний спів.

І в звуках жалібного співу,
Схиливши голови свої,
Востаннє так торкали діви
На цвинтарі вуста мої.

І я зі світлого ефіру,
Згадавши радощі земні,
Спустився в світ в шаленім вирі
На клич цей пам'ятний мені.

І враз розкинувся лугами,
Таким приємним квітом рути,
Щоби квітковими вустами
Цілунок дівам повернути.

30 квітня 1992 р.

Спогад

Дивлюсь на мапу України,
Висить пожовкла на стіні,
Люблю куточок батьківщини,
Де я прожив юнацькі дні.

На мапі місто є чудове,
Де я побачив вперше світ
І небо чисте, волошкове...
З тих пір пройшло багато літ.

Давно живу я на чужині,
І вже посивів, постарів.
Під час війни, на Україні
Свою дівчину залишив.

Її я й досі пам'ятаю
(хотів би знати, як живе),
Вона дітей, напевно, має,
Та, може, й згадує мене...

Та що з того, що пам'ятає,
Вже все минуло, все пройшло,
Назад минуле не вертає...
Життя на заході зайшло.

Давно бажаю я відвідать
Оту місцевість, де я жив,
Стареньких родичів провідать
І тих, і з ким колись дружив.

А потім знову повернутись
У край чужий, щоб вік дожити,
Мені призначено в нім бути,
Біля своїх батьків спочити...

Ніч в Україні

Липнева ніч на батьківщині,
Прозоре небо, зорі сяють.
Там тиша є на всій долині
І на тополях лист дрімає,
А повний місяць, як ліхтар
Човни рибалок звеселяє...
Тече тихесенько Гайдар
І десь далеко спів лунає,
А часом хлопця баритон
Між голосами можна чути,
Він всім дає прекрасний тон,
Щоб відповідний лад здобути.
Там не один з гуртка співець
Чарівним голосом співає...
Ідуть ті люди навпростець
З якоїсь праці під кінець
Вони скорочують свій шлях
Вузькою стежкою в левадах...
Таку нічну красу в словах
Співці оспівують в баладах...
Все віддаляється гурток,
Але продовжує співати,
Я аж спинив води ковток,
Щоб ледве чутий спів спіймати.
Де співаки живуть тепер?
Їх спів у пам'яті лунає...
Вже, може, хтось із них і вмер,
Про це Господь, напевно, знає.

1994 р.

Рідний край

Цегляна хата, ганок, сходи
І краєвид з горба на схід,
Краса гуцульської природи,
Мій милий, неповторний світ.
Там Черемош між круч струмує,
Холодну воду в Прут несе,
Швидкою хвилею нуртує...
Таке це любе здавна все.
Там промайнуло непомітно
Дитинство росяне моє,
Як черемшина в травні квітне,
Мені наснаги додає.
О рідний краю, диво-краю!
Благословенна ти земля,
В буянні квітів, трав розмаю,
Тобі вклонюся низько я.
Уріднім краю Верховини —
Моє коріння від віків,
Живе там подих України
І заповіт моїх батьків!

Грудень, 2001 р.

У мріях...

Щось не приходить сон мені...
Надворі ніч і місяць сяє...
Літак, як зірка, в вишині
Летить на схід, на зорі,
Там з них — яскравіша одна
У безконечному просторі.
І в цій безсонній самоті
На думку сплив момент важливий,
Збудивши спогади оті
Про час дозвілля особливий...

Чого шкодую денно я?
І що згубив в житті бурхливім?
Минула подорож моя
Законом в долі справедливим.
У мріях — Шкло, Червоноград,
І дрогомишльський ліс з грибами...
Вертають спогади назад,
Де я ходив із юнаками...

І дивно те, що я — східняк,
І той куточок Батьківщини
Мене приваблює не так,
Як захід неньки-України!

Жовтень, 1998 р.

Віра і діла

Боже, Боже, пошли Україні
Твою ласку і поміч в цей час,
Щоби вижити кожній людині,
Щоб і дух її зовсім не згас!

Поможи їм біду пережити,
І чудовій погоді сприяй,
Щоб Твої усі праведні діти
Мали добрий завжди урожай!

Голодують батьки і їх діти
І тим злидням не видно кінця...
Було б добре мені відпочити
Та невчасна ідея оця...

Пишуть родичі й друзі із краю,
Та ще й дехто далекий, чужий:
«Нема грошей і я голодаю,
Поможи, пан, родині моїй»

Де ж та поміч, що бідний чекає?
Дехто щирий на марних словах...
Щоб робити, як церква навчає,
Треба вибрати праведний шлях.

Якщо слово і діло в розладі,
Тоді віра — не щира й пуста,
Але ж я — в українській громаді,
Маю жалість і віру Христа.

І як можна тепер промовчати
І не вислати поміч чужим?
Як голодному хліба не дати,
Хоч не маєш споріднення з ним?

Щоб послати комусь допомогу,
Щось відмовити треба собі…
Це приємно предвічному Богу
І голодному в тихій журбі.

Грудень, 1998 р.

Лечу у мріях...

У мріях я душею нині
Лечу в один сосновий ліс,
Який на сході в Україні,
По пустирю пісків поріс.

В дитинстві в нім бував щороку,
Збирали з татом маслюки.
На північ там, із того боку,
Був сад й розсадник до ріки.

Ріка за лісом протікає,
А там, де берег є крутий,
Він річки течію міняє
Поза масив той лісовий.

Шумить тихенько ліс сосновий
І вітерець в гіллях гуляє,
Немовби килим той шовковий,
Пісок місцевість покриває.

Там, з півдня, вигін був чималий,
Пасли телят на нім весною,
Та цвинтар раз запланували
І обсадили весь сосною.

А час ішов, вмирали люди
І їх ховали у могилах,
І та сосна, в кутках усюди,
Той цвинтар затінком покрила.

Та сумно так від думки нині,
Бо довелось мені пізнати,
Що вже немає в батьківщині
Й малих ознак моєї хати,

Що дядько, тітка і знайомі
Пішли в могили спочивати,
А я гадав, що гостем в домі
У когось буду гостювати...

Грудень, 1996 р.

Найзвучніша мова

Мова українська — найзвучніша в світі
Й найгарніші наші квіти польові...
Сині оченята — це волошки в житі,
Може, й незабудки в весняній порі.
Сонячні дзвіночки, проліски блакитні,
Голубі фіалки, крокіс і чебрець...
Від зозульок в вербах «кукання» привітні...
Ніжний, як цілунок, тихий вітерець...

Пам'ятні й приємні українські ночі
І рулади дивні співу солов'я
Відповіді милі, лагідні, дівочі, —
Ними зігрівалась вся душа моя.

Є надбання цінні, краю особисті.
Є веселі жарти, танці і пісні,
Одяги дівочі вишиті, барвисті
І сади з пахучим квітом навесні.

Український Київ — найгарніше місто,
В нім цвітуть каштани квітом чарівним...
Ягоди калини, наче те намисто,
Прикрашають осінь кольором своїм.

Над Дніпром у парку весело гуляти
По доріжкам тихих зоряних його,
З кимось в нім зустрітись, може, й обійняти,
В тій душевній силі почуття свого...

Станеш на хвилинку і старе згадаєш, —
Про свої минулі, молоді літа...
Серце так здригнеться, наче відчуваєш,
Що торкнулась тінню молодість ота...

Квітень, 2002 р.

Старобільськ

Кожний раз, як ніч буває
З повним місяцем, без хмар,
Де Гайдар притоку має,
Для рибалки — Божий дар.
Раз човном ми з другом стали
Там, де синя глибина,
З вудок линви розмотали
І закинули з човна.
Раптом линва натягнулась,
Вудку я схопив ривком,
А вона в дугу зігнулась,
Потягнув великий сом.
А як сонце піднялося,
«Заклювали» окуньки...
Порибачити вдалося
Дуже добре в ті роки.

Це було в юнацькі роки,
До війни, у літній час.
Я рибачив з другом доки,
Аж війна спинила нас...

Роки тануть, як сніжинки,
Друга я згубив в війну...
Бачу в снах життя відтинки,
Як рибалив в давнину.

Березень, 2002 р.

Порада українцям

В бажанні людини вдалось поєднати
Окремі струмочки в потужну ріку,
І сила води спромоглася здолати
Потрібну роботу: молоти муку.

Млини водяні й різнобічні машини,
Тією водою працюють весь час,
Бо мудрість з'єднала все воєдино,
Що вже було сотні років до нас.

Мої українці, як всі ті струмочки,
Повинні з'єднатися в єдину ріку,
Єдину віру потрібно б прийняти,
Й мову плекати вкраїнську дзвінку.

Христу не залежить, як свято святкуєм,
Коли, в якій церкві і в який час,
Важливо лиш те, чи Христа ми шануєм,
І знаєм, чому Він помер за всіх нас.

Потрібно увагу на той факт звернути,
Що диявол народ наш собі підкорив:
На віру і думку накинув всім пута,
Церквами на групи давно поділив.

Одні — «по новому» щось в році святкують,
Інші — «по старому» ті дні визнають...
І перші, і другі над Богом глузують,
Бо всі в перекрученій вірі живуть.

А діти в Христа, то потрібно родитись
Від Духа й води, як Христос заповів,
А потім по вірі дорослим хреститись,
Щоб Бог своїм духом нас всіх відродив.

Подумайте люди, яка наша доля,
Пора нам в суспільстві об'єднано жить!
Лиш власне бажання, а ще — тверда воля
Нам допоможе ідею звершить.

Січень, 1987 р.

Історія про кущ калини

На далекім сході
Неньки-України
В батьківськім городі
Виріс кущ калини.

Виріс він в куточку
Просто під вербою,
Що росла в рядочку
Смугою густою...

Розцвіла калина
Гарним, білим цвітом,
Та її вербина
Затіняла літом.

В зелені з травою,
В ясний день, погожий,
Був той цвіт весною
На кохану схожий.

Літом кущ калини
Ягодами вкрився
І з гіллям вербини
Хмелем весь обплівся.

Літо пролетіло,
Прохолодно стало,
Листя пожовтіле
І з куща злітало.

Ягоди дозріли,
Як рубіни стали,
Мов вогонь світили,
Осінь прикрашали...

Дощ холодний лився
Мов небесні сльози,
Снігом край покрився...
Вдарили морози...

На сніжнім покрові
Ягоди червоні,
Як краплини крові
Із Христа долоні...

Пісню про калину
Козаки співають
І у ній дівчину
Завжди уявляють...

Січень, 1997 р.

Подорож у мріях

Дехто грає, дехто — спить,
Я тихенько щось читаю,
Як не маю, що робить,
То, у мріях скрізь літаю.

Вік у мене — немалий,
Очі, слух занепадають,
І щоб край відвідать свій,
На це сили вже не маю.

Але вихід я знайшов
У своїй старенькій хаті,
За білетом не пішов,
А сиджу в малій кімнаті.

Перед ліжком на стіні
Я хорошу мапу маю,
Іноді в зимові дні
Назви міст на ній читаю.

Я давно її придбав,
Бо це — мапа України,
Назви міст запам'ятав
На просторах Батьківщини:

Ось — Дрогобич, Трускавець
І Борислав мальовничий...
Показав я всім взірець,
Що то є гостинний звичай.

Далі бачу місто Львів
І околиці знайомі...
Там я родичів зустрів,
Гостював у їхнім домі.

Тут — Тернопіль і Збараж,
І відома Шепетівка...
Мальовничий скрізь пейзаж,
Там в війну була криївка...

Вже Житомир проминув,
Погляд мій на схід поїхав,
Там в околицях я був,
Чебрецем пахучим дихав...

Ось і Київ — славний град,
В нім цвітуть каштани білі,
Там відвідав гарний сад,
Їв сливки й грушки дозрілі...

У Чернігові побув,
Далі — в Сумах і Охтирці...
Їх швиденько проминув,
Як рекламу на зупинці...

Бачу Шостку, Кролевець,
Знову зір стрибнув на Суми...
З тих країв один співець
Всім співав козацькі думи.

Ось зустрів Червоноград,
Там — Мерефа, Балаклея...
З них зсилали всіх підряд,
Москалям привична дія...

Та і Харків не минув,
І Чугуїв знаменитий,
А як в Куп'янськ я прибув,
Був від втоми, як побитий.

В мріях їду я в Донбас,
Краматорськ і Лисичанське...
Там в продажі хлібний квас,
А в Донецьку є шампанське...

Ось в Луганськ я заглянув,
Перевальськ і в місто — Брянку...
Там у друга я побув,
Розмовляв всю ніч до ранку...

Вже по мапі йду назад,
Понад морем, аж до Криму...
Там страждали всі підряд
У війну, в холодну зиму.

Ось прибув нарешті в Крим,
І міста у ньому славні...
Я захоплююся ним,
Він збудив події давні...

Вже подався я в Херсон,
Миколаїв і Одесу,
Вознесенськ і Гайворон
Запізнав я через пресу...

Далі — Вінниця, Бердичів,
Там — Хмельницький, Кременець...
Десь я в друга гроші зичив,
Бо згубив свій гаманець.

Чернівці, Борщів, — читаю...
Коломия, Галич, Стрий,
В Ужгород вже не сягаю,
Бо втомився розум мій.

Щоб міста всі, в Україні,
І малі, й великі знати,
Раджу кожній я людині
Мапу згадану вивчати!

Лютий, 2000 р.

Лети, моя думко...

Лети, моя думко, на схід, понад морем
До всіх українців пригнічених горем,
Хто має щоденні життєві невдачі
І власної помилки зовсім не бачить,
До тих, хто не має пошани, любові,
Хто прагне, шукає натхненної мови,
Бажає Христового, вічного слова,
Кого потішає шляхетна розмова.

Лети, моя думко, лети поза хмари,
В степи, де пасуться овечі отари,
Туди, де кобзар про козацтво співає,
Де вітер у полі волошки гойдає...

Лети, моя думко, у рідні Карпати,
В село, до тієї старенької хати,
Де жінка сивенька на сина чекає
Щоденно з дороги його виглядає.
Де хтось біля печі в вечірню годину
Розказує правду нащадку єдину
Про славу героїв, синів Батьківщини,
Що впали за волю своєї країни...

Лети, моя думко, в куток України,
До тих, хто на дачі в вечірні години
Своє господарство, як око, пильнує,
Частенько хворіє і, звісно, бідує.

Лети, моя думко, до Чорного моря,
До тих, хто не має душевного горя,
До того рибалки, що важко працює,
І Богу він вдячний, і бідних шанує,
Хто денно, посильно до Бога взиває
І віру на краще майбутнє він має.

Лети, моя думко, на схід України,
В минулі години твоєї дитини,
Що в світі блудила і щастя шукала
Й путівку до неба, в безсмертя придбала.

Ти, Боже могутній, подай всім наснаги,
Від Тебе — здоров'я, від Світу — поваги,
Від Києва — влади, твердої управи,
А рідному краю — пошани і слави!

Серпень, 1994 р.

Сумно на душі

Сумно, сумно на душі,
Бо вже старість докучає,
Перечитую вірші
І в минуле дух літає.

Для підтримки дум і мрій,
Почепив портрети ближніх,
Також є з юнацтва мій
Й друзів всіх колишніх.

Сам я рамки поробив
У моїм старечім віці,
Лаком, фарбою покрив...
Виглядають, як з крамниці.

В мріях денно я живу,
Всім пишу листи до краю,
Допомогу грошову
Бідним людям посилаю.

Щось в пивниці я роблю,
Або в місто йду гуляти,
Ранком, звісно, довго сплю,
Бо лягаю пізно спати.

Про усе люблю читать,
Є цікавого багато,
Довелось ту правду взнать:
Ким, за що, карався тато?

А буває, уночі,
Як закінчу я читати,
Бачу квіти і кущі
В Україні, біля хати...

Я і мапу на стіні
Почепив в кутку кімнати,
І приємно так мені
Україну розглядати.

Там дитинство прогуло
Серед гарної природи,
Та на захід повело
Від військової пригоди...

Все життя моє пройшло
Не в одній чужій країні,
Та ще сонце не зайшло,
І не зникли довгі тіні...

Жовтень, 1999 р.

123

В думці про минуле

Залишились в думці зелені гаї
І гори крейдяні за містом,
А там, в тих околицях роки мої
Лягли з слізних крапель намистом.

Доріжка від хати вела до ставка,
І в вербах за ним поринала,
Була там під плотом криївка така,
Що часом мене в ній ховала.

Частенько я плакав від ближніх своїх,
Від сліз тих уста напухали...
Батьки не прощали провинок моїх,
Та й сестри «дровець підкидали».

У років дев'ять я з хати тікав,
Зайшовши на гору жадану...
«Що далі робити?» — себе я питав,
«Куди йти в дорогу незнану?»

Сидів і плакав, від страху дрижав,
Як кожна в тім віці дитина,
Та Бог, пам'ятаю, мені натякав,
Що прийде для втечі година...

І раптом на думку ідея прийшла:
До дядька піти на пораду.
В долині, я вгледів, хатина була,
Контора державного саду.

Мій дядько, звичайно, мене пожалів,
Батькові ж він зауважив,
Щоб мене ніколи не лаяв, не бив,
Любові й поваги відважив...

Ніколи я ласки від батька не мав
І погляду дуже боявся...
Мене, як підріс я, за пивом ганяв...
Бувало, як пив, посміхався...

А часом траплялось, що пива нема,
Я з бутлем порожнім вертався...
І батько кричав, бо чекав він дарма,
Та я у криївку ховався...

А якось я старшого хлопця зустрів,
Спромігся йому розказати,
Як на гору високу ходив...
Як вигнала мати із хати...

Він тихо, ласкаво мені відповів,
Що я — ще малий на пригоди...
І так, як товариш, мене він навчив, —
Своєї чекати нагоди...

І та вся подія, як пляма, лягла
На душу слабкої дитини,
А скривджена доля початком була
Зневаги всієї родини...

Та я дочекався належного дня
В кінці сорок другого року...
По рейках котилася доля моя
На Захід, на виїзд, без строку.

Залишилась в згадці криївка моя
І гори високі за містом...
А спів при ранковій зорі, солов'я
Спливає барвистим намистом...

Березень, 2000 р.

Сузір'я Оріон

Сузір'я чітке блищання
Мене в далекий край манило,
Не знав його найменування,
І де воно завжди світило.

    І як над обрієм блищало
    Завжди липневою порою
    І за годину, дві зникало
    В імлі, за смугою земною.

Мигтіння те неначе б звало
В дорогу дальню, невідому
І смутно серце відчувало,
Що прийде час йти із дому.

    І так пройшли юнацькі роки,
    В яких я щастя не знайшов,
    В важкі післявоєнні строки
    Мій шлях в Бразилію зайшов.

І там вечірньою порою
Сузір'я те я знов побачив,
Але тепер над головою
Мов люстра сяяло, неначе...

    Давно вже люди розказали
    Про те далекеє сузір'я,
    Що бачив зі свого подвір'я...
    Всі Оріоном його звали.

Завжди, на Східній Україні
Цікаво бачити людині
Сузір'я в липні вечорами,
Що так сіяє за гаями.

13 травня 1992 р.

126

МОЯ РОДИНА

Любов матері

До ліжка хворої дитини
Підходить мати щохвилини,
Не спить, страждає цілі ночі,
Злипаються від втоми очі...
І молиться над ліжком Богу-Сину,
Щоб врятував її дитину.
Вона любов у серці має,
Сама ж про себе і не дбає...
Любов — це Божа творча сила,
Що світ і землю сотворила.
Вона і терпить, і прощає,
І хворого оздоровляє.
Любов — у зорях в темні ночі,
В словах простесеньких діточих,
Вона — у вірі і у згоді,
Любов є всюди у природі:
У тихих синіх небесах,
В струмках, озерах і лісах,
У квітах, в музиці душевній,
В Христа Науці людству певній.
Любов — духовна висота
В словах, промовлених з Хреста,
Це спад води із гір високих
І поле трав степів широких,

Це — спів пташиний в Україні,
І відданість своїй дружині,
І спогад рідних в Батьківщині.
Любов — краса Карпатських гір,
Франка й Шевченка кожний твір,
Дівоча ніжність і краса,
І на траві густа роса,
Це гарна, лагідна розмова
І вираз праведного слова,
Як в давнину, так і донині
Любов присуща Україні!

10 квітня 1985 р.

Фото

Стоїть в світлиці на комоді
Старенька фото з давніх пір,
На нього завжди при нагоді
Невільно падає мій зір.

Коли до Бога я молюся,
Або встаю, або лягаю,
На рідне фото подивлюся
І щось приємне пригадаю.

Про ті часи такі далекі,
В моментах щастя, небезпеки,
Які в минулий час пірнули
І потім в пам'яті заснули.

І як уривки пригадаю,
То миттю серцем відчуваю,
Що чую тихий голос з неба,
Який зове мене до себе.

Це фото серце потішає,
Коли турботи різні маю,
Неважко образ той пізнати,
На нім — моя кохана Мати.

19 січня 1991 р.

Родині з Борислава

Вас я, щирая родино,
Добре уявляю,
Як в вечірнюю годину
Лист від вас читаю.

А, як мапу України
Часом розглядаю,
Все дивлюся на частину
Західного краю.

Сам я — з сходу України,
Тобто — з того боку,
Де безмежнії рівнини
Скільки бачить око...

Там цвітуть весною квіти:
Сині, жовті, білі...
Там також є добрі діти,
Патріоти смілі.

Та місцевість — серцю мила,
В ній кохана Мати
Мене взимку породила,
Щоб в житті блукати
Не по рідній Батьківщині,
А — за океаном...
І померти на чужині
Безславним бояном.

Осінь, 1991 р.

Смерть моєї мами. 1956 рік.

Хто зрозуміє ту печаль,
Коли вмирала моя мати?
Всю мою біль і серця жаль
Пером не можна описати.

I день сумний тоді настав,
Бо смерть зайшла у рідну хату,
В сльозах до ліжка припадав,
Відчувши враз велику втрату.

Хоча дорослим я вже був
I не від кого незалежний,
Щось незбагненне я відчув
I серця жаль — тягар безмежний.

I так залишився сумний,
Як та самотня чайка в морі...
На чужині, і сам чужий,
I теж невтішний в власнім горі.
Отак текло моє життя
Без щирих друзів і без мами,
Тієї втрати почуття
З тих пір гнітить мене роками.

Березень, 1994 р.

Я не плачу, не страждаю

Пролетіла ураганом
Молодість моя.
Хмуру осінь із туманом
Скоро стріну я.

«Правди люстро не сховає», —
Кажуть мудреці,
І ніщо вже не змиває
Зморшки на лиці.

Я не плачу, не страждаю
По минулих днях,
На Христа надію маю,
З Ним зникає жах.

Зустрічаю без турботи
Осені прихід,
Відпочинок від роботи
Вже почати слід.

Чи я все зробив? Здається.
Може, щось не встиг,
Бо вже скоро доведеться
Перейти поріг.

Маю ще одне бажання
Із прадавніх мрій:
Перед смертю на прощання
Край відвідать свій,

І оту стареньку хату,
Де я хлопцем жив,
Добрим людям розказати
Де я вік блудив.

1985 р.

ІНТИМНА ЛІРИКА

Закон

Можливо, що в майбутньому і я
Ще зможу до такого дня дожити,
Коли зійду на борт ракети-корабля,
Щоб до планет нових світів летіти.

І там, в бездонній глибині небес,
Я сам і весь багаж з ракетою моєю,
Свою вагу тягар загубить весь,
Бо втратиться зв'язок з далекою землею.

Лиш важко б серцю моєму було:
Моя любов не стане невагома,
І як далеко б в світ її не занесло:
Від тієї, що чекає удома.

Земному ж бо тяжінню є кінець.
Та що зрівняється із силою магніту?
З законом вічного притягнення сердець,
Він буде справедливий для усього світу.

Його признають голубі світи,
Куди летітимуть безчисленні ракети...
Такий закон мені відкрила ти,
Кохана з рідної планети.

22 травня 1992 р.

Осіння ніч...

Осіння ніч, безсонна ніч,
І дзвін тривожно дзвонить,
В вікно втікають мовчки сновидіння,
Летить душа за океан в цю мить
І враз встає те бажане видіння,
А все навколо міцно спить.

Осіння ніч, безсонна ніч,
І жодних тих причин неспокою немає,
Привидівся мені старенький млин,
Де через греблю вода тихесенько спадає,
А думка вже несе до тебе жвавий клич:

«Згадай мене, згадай оту хвилину,
Як ми зустрілися з тобою перший раз,
Як я ступив на рідну Батьківщину
І пережив душевний той екстаз!»

То був лиш сон приємний і чудовий,
Який приснився в ніч оту мені,
І зір твоїх очей, як небо, волошковий
Запам'ятав навіки я в отім чудовім сні.

9 жовтня 1992 р.

Моя любов

Коли без пристрасті і діла
Текли мої буденні дні,
Вона, як буря, налетіла
І понесла мене з землі.

Вона залишила без віри,
Але вселила дух борця,
А в серце — щастя теж без міри,
І сльози, сльози без кінця.

Сухими, зимними словами
Псувала настрій раз-у-раз
І реготала над сльозами,
Гасила пристрасті екстаз.

А іноді ласкавим словом
І зором люблячих очей
Нараз світилась сяйвом новим
У темряві сумних ночей.

Я все забув, живу лиш нею,
Віддав їй в владу почуття,
Признав її навік моєю.
Бо в ній — весь зміст мого життя!

7 листопада 1987 р.

Щастя

По світі весь час щастя ходить,
А в світі цім сумно давно...
І в двері хатин, як проходить,
Хоч слабко, та стукне воно.
Тому, хто живе без турботи,
До того, хто в смутку сидить,
Багатому гримне в ворота,
А бідному — в двері, де спить.
Та люди той стукіт не чують,
Як наче б його й не було,
І навіть над словом глузують,
А щастя десь далі пішло.

22 липня 1992 р.

Марево зустрічі

Ми дивно стрінулись і щастя не збагнули,
І так небажано роман скінчився наш,
Якщо ми думкою пірнемо у минуле,
То скажемо, що все це був міраж.

Так, іноді в докучливій пустині
Зринають образи небачених країн,
Але, це — марево, і знову небо синє,
І краєвид лишається без змін.

Ми, як супутники, обмануті міражем,
Всі ніжні пристрасті не вміли зберегти,
Ми ні за що нікому не розкажем
Про таємниці ті, що мали я і ти.

Так, іноді в житті, як і в пустині,
З'являється ланцюг чудових, дивних мрій,
Та все це — марево, обманливе людині,
І не здійсниться багато тих надій.

23 листопада 1992 р.

Очі дівочі

Очі дівочі, це — зорі,
Ніжна природи краса,
В них — глибина, як у морі,
Часом — блакить, небеса.

Очі, мов барви у квітні...
Те, що природа дає:
Жовті, зелені, блакитні...
Безліч відтінків в них є.

Очі дівочі всіх манять,
Інколи настрій псують,
Іноді просто обманять,
Або ж надію дають.

В пісні про очі співають
З кожного краю сини,
З жалем про очі зітхають,
Що непокірні вони.

Очі дівочі — надія,
Зустріч, любов, почуття,
Кожному хлопцеві — мрія,
Радість, веселе життя.

Якщо не стрінуться очі
Жваві, палкі, чарівні,
Доля, як жах серед ночі,
Гасить душевні вогні.

Доля, це та лотерея,
Мало хто в ній виграє...
Часом жива Лорелея
Вдалому щастя дає...

Квітень, 2000 р.

Моя любов

Серце б'ється шалено від личка,
Як раптово зустріну її.
Полонила медична сестричка
Моє серце і мрії мої.

Я прохав її слово сказати
І назвати ласкаве ім'я,
Телефон по можливості дати...
Їй сказав, хто є в дійсності я.

Запросив її вперше на каву
Біля парку, в один ресторан,
Говорив з нею тихо, ласкаво,
Як то кожен закоханий пан.

Купував їй пізніше дарунки
І для неї грошей не жалів...
Дарувала мені поцілунки,
Я ж від щастя такого тремтів...

І зустрівшись у парку, весною, —
Про любов розказав їй свою...
Пам'ятаю, як йдучи зі мною,
Вона тиснула руку мою

«Я — також», — мені тихо сказала,
Бо засмучена словом була, —
Це признання я довго чекала
І надією в щастя жила».

Квітень, 1996 р.

Чекаю пошти...

Як сонечко зійде,
Я думку гадаю:
Чи лист мені прийде
З далекого краю
Від зірки моєї,
Яку я кохаю?
І звістки від неї
Щоденно чекаю.

Немає довгенько
Від неї листа,
Дивлюся частенько,
А скринька пуста...
Догадки і мрії
На думку прийшли,
Що певні події
Затримку дали...
Чи може літак
Зовсім пошти не взяв,
Або листоноша
Здоров'я не мав?
Все трапитись може,
Як сніжна зима,
Сьогодні, подібно,
Польоту нема,
Бо був в Україні
Всю ніч снігопад,
Польоту й людині,

Багато завад...
Бориспіль, казали,
Попав в заметіль
І люди не мали
Для чистки зусиль.
У сніжній погоді,
Ще й в сірий туман,
Закрито, в нагоді,
Летунський майдан...

Що пошти немає —
Відвертий це знак,
Бо в сніг не літає
Цивільний літак...

14 лютого 2000 р.

На забаві

Лагідно пари танцюють,
Гарно прикрашений зал,
Рухи у танку хвилюють,
Всіх, почуття домінують...
В цьому свідомий загал.

Музика весело грає
Танго чудове «Любов»,
Дівчина хлопця чекає,
Серце схвильоване має,
З ним бо зустрінеться знов.

Тут її хлопець підходить,
В смокінгу, гарний, стрункий,
Дівчину власну знаходить,
Погляд із неї не зводить,
Наче вогонь запальний.

Ніжно до неї всміхнувся,
Руку з привітом подав,
Щось їй сказати нагнувся...
«Так!», — її голос почувся,
Як він на танок прохав...

Дівчина в синій суконці
Гарна, як квітка була,
Так пригорнулась до хлопця,
Як, та билина до сонця,
В танку у ритмі пішла...

Ніжки у неї — чудові,
Стан, як в русалки — гнучкий,
Очі, палкі, волошкові,
Плечі, немовби шовкові,
Голос приємний такий...

29 квітня 1996 р.

Чарівна львів'янка

Серце мліє від самого ранку,
Як почую, побачу її,
Оту милу, привітну львів'янку,
Що змінила всі мрії мої.

Що то сталось зі мною, гадаю,
Що про травми в лікарні забув?
З нетерпінням я часу чекаю
Щоб сестрички хоч голос почув.

Вона часто до мене приходить
І питає: чи мріяв, чи спав?
Та мене здоровішим знаходить
З того дня, як її запізнав.

Поспішити, прохав я ласкаво,
Залічити ці травми мої...
Відказала так лагідно, жваво,
Що знання — недостатні її...

Розказав їй, що, де я студіюю,
Як із автом потрапив в біду...
Що я спортом займаюсь, танцюю...
До театру іноді йду...

144

А мій лікар пізніш здогадався,
Чому швидко здоровим я став?
Я в медичну сестру закохався
І взаємну любов відчував!

Серед ліків сильніших немає,
Як у серці моїм почуття,
Що мене теж сестричка кохає...
Це — найбільше моє відкриття!

Ця львів'янка чарує в розмові,
Синьоока і жвава сама...
Медсестрою працює у Львові,
І подібної в світі нема!

Березень, 2000 р.

Про одну знайому галичанку

Дозвольте Вас на «Ти» назвати,
Щоб так розмову завести,
Я хочу в цім вірші сказати,
Якою є для мене Ти.

Ти — як та квітка з парку Львова,
Така приємна і проста,
Мене чарує твоя мова
Й твої з усмішкою вуста.

Твій погляд ніжний і вразливий,
В очах ясний огонь блищить,
Я відчуваю особливий
До серця дотик кожну мить.

Тебе зустрів й пізнав на танку,
В той час щось в серці ожило,
Хоч ніч проспав я до світанку,
Та почуття те не пройшло.

Хоч Ти — із заходу, я — з сходу,
А мова спільна є у нас,
Люблю Твою чарівну вроду,
Про тебе думаю весь час...

Тепер ходжу я дні за днями
З бажанням взнати дім такий,
Де Ти за міцними дверями
В душі тримаєш спокій мій.

11 вересня 1973 р.

Пошук щастя

З земного сучасного світу,
В час певний, з намічених днів,
По волі людини в орбіту
Супутник на Марс полетів.

    Вже тижні минули в тім леті,
    А ньому не видно кінця.
    Невже то на Марсі-планеті
    Знайде щось людина оця?

Від кого людино тікаєш?
На що ти надію згубив?
Чого ти в просторах шукаєш?
Чи може ти важко згрішив?

    Хоч вище небес підіймешся,
    До дальніх галактик злетиш,
    Чи в море до дна пірнеш ти,
    Гріха не позбудешся ти!

І в небі безкраїм, це, звісно,
Як брата не будеш любить,
Для тебе і там буде тісно,
Прийдеться і небо ділить.

    Душа твоя, певно, страждає
    Під гнітом життя-суєти,
    І радості, щастя бажає...
    Чи знаєш, чи думаєш ти?

Їй треба інакшого лету,
До цілі нової спішить:
Змінити космічну ракету
На віру, щоб Бога любить!

В нім пута гріховні порвуться,
Свобода душевна прийде,
Нові інтереси знайдуться
І небо на землю зійде!

Не треба у космос летіти,
Цей намір рятунком не є...
Потрібно всім те зрозуміти,
Що щастя лиш віра дає!

Травень, 2000 р.

Зустріч у Львові

Я в дозвіллі затримався в Львові,
З своїм другом по місту ходжу,
Скрізь дівчата занадто чудові...
Про одну з них в вірші розкажу.

Вона — гарна, струнка, енергійна, —
Я у парку побачив таку,
Моя думка лише позитивна
Про цю дівчину гарну й струнку.

Я по вулицях часом гуляю
І до парку, звичайно, зайду,
Мимоволі ту панну шукаю
І радію, як зором знайду.

Вона квіти, будинки малює,
Для малюнку що-небудь знайде,
Бо малярство вона студіює,
І на практику часто іде.

Я — старий, шепелявий в розмові,
Та малярку безмежно люблю,
Бо вона — особлива у Львові,
Їй удачі у Бога молю...

Підійшов раз тихенько до неї,
Комплімент про малюнок сказав.
І в подяці хвилини тієї,
«На морозиво» враз попрохав...

Посідали на лаві порожній,
Розстеливши на дошці піджак...
Зауважив, як в ягідці кожній,
В цім морозиві якісний смак.

Ця малярка мені розказала
Все про себе, про школу свою...
І нарешті мене запитала
Про постійну домівку мою:
Хто я є, що роблю, чим існую?
Що у Львові цікавим знайшов?
Чи я скрізь по країні мандрую?
І як в парк цей сьогодні зайшов?

Розповів їй що чув, і що бачив...
(Час так швидко в розмові пройшов)
За увагу її я віддячив,
Попрощавшись, до друга пішов...

А в наступній, останній розмові
Розказав їй, що сам я — поет,
Що шаную години чудові
І із мене ескізний портрет...

Попрохав і адресу хатини,
Обіцяв їй, що лист напишу
І віршем незабутні години
Я у спогад, як в мур, закладу!

Я пішов... оглянувся до неї
І рукою «прощай» помахав...
І в ту мить, у львів'янки тієї
Біль розлуки в очах прочитав...

Хоч я старший утричі від неї,
Посивілий і ледве ходжу,
Та ті миті пригоди моєї,
Як алмази, я в серці ношу...

Не забув я малярки тієї,
Котру в Львові у парку зустрів...
Не шкодую «зелених» для неї...
Так роблю, як Христос заповів!

Березень, 2000 р.

Минуле

В тім саду, де ми з Вами зустрілися,
Ваш кущ хризантем вже розцвів,
І в душі моїй щось збудилося,
Що я щастям любові горів...

Кропить дощ на цей сад засинаючий
І стою я сумний під дощем
З жовтим листям від вітру спадаючих
На зів'ялий вже кущ хризантем.

Відцвіли вже давно хризантеми в саду,
А любов все горить в палкім серці моїм
І я іноді в сад мимоволі зайду
З дивним кличем в душі, неземним...

Давні згадки пробігли картинами:
Як до Вас я на зустріч ходив
У цей сад, де гуляю годинами...
Та і я, як ті квіти оцвів...

9 квітня 2002 р.

ІСТОРИЧНІ МОТИВИ

З історії українського козацтва

Сильний дощ шалено лив,
Блискавки блищали.
Та загони козаків
У ту ніч не спали.

Отаман Лесун підняв
Козаків на ноги,
Бо дозорний вчасно дав
Знак перестороги.

По дорозі до Дніпра,
Коли ніч стояла,
Хижа, люта татарва
Грізно підступала.

А татарський той загін
Мав чималу силу,
Із рушниць та з луків він
Цілив дуже вміло.

Лави мужніх козаків
Довго не чекали,
Налетіли з двох боків
Та й атакували...

А з Хортиці на човнах
Підпливла підмога,
Охопив великий жах
Ворога лихого.

І зостались вороги
Всі на полі бою,
Їх побили доноги
Козаки-герої.

Мабуть, випало комусь
У ярах сховатись,
Бо татари, у Криму
Спромоглись дізнатись,

Що загинув їх загін
У бою без слави,
А Лесун і його син
Вели спільно лави...

У татарських всіх ділах,
В їхньому злодійстві,
Не поміг їм ні Аллах,
Ні їхнє суспільство.

Березень, 1992 р.

Оповідання про князя Олега

Олег вирушає в далекий похід
Помстити бездумним хазарам,
Щоб їх покарати за напад як слід,
Піддати заслуженим карам.

Із військом своїм, в Царгородській броні
Князь їде на чолі на білім коні,
Із темного лісу на зустріч йому
Виходить чаклун посивілий,
Покірний Перуну, йому одному,
Предвісник майбутнього вмілий,
В постах з ворожбою провів весь свій вік.
І став перед князем оцей чарівник.

Ласкаво старого Олег запитав,
Бо чомусь неспокій в душі відчував:
«Скажи, чоловіче — любимцю богів,
Що долею стане моєю,
Чи скоро, на радість моїх ворогів,
Навіки покриюсь землею?

Відкрий мені все до останнього дня,
Візьмеш в нагороду для себе коня...»
І відповідь князь від старого чекав,
Щоб той не боявся, його запевняв.

***

Чаклун не боїться могутніх владик,
А дару собі не бажає,

До правди, свободи віддавна він звик
І волю Всевишнього знає.
«Всі роки майбутні закриті в імлі,
Та бачу я все на твоєму чолі.

Послухай-но нині це слово моє:
«Для воїна честь — нагорода,
Боями прославлене ім'я твоє,
На брамі твій щит Царгорода.»

І холод, і буря — все звичне Тобі,
І ти — переможець у кожній війні.
Як хвилі морської обурений вал
Не шкодить в захисті затоки,
Так меч, і стріла, і лукавий кинджал
Щадять незвитяжному роки.

Під панцирем власним не знаєш ти рани,
Тобі хоронитель невидимий даний.

Твій кінь не боїться завзятих боїв,
Він, чуючи власника волю,
То смирно стоїть в леті стріл ворогів,
То скаче шалено по полю,
Ні холод, ні битва не знищать його,
Та приймеш ти смерть від коня свого.

Олег посміхнувся, одначе чоло
Нараз посумнішало в зорі,
Обпершись рукою на власне сідло,
З коня він злізає поволі
І вірного друга вздовж шиї крутої
І пестить, і гладить своєю рукою.

«Прощай, мій товаришу, вірний слуго,
Не будеш ти в службі для мене,
Тепер не носитимеш пана свого,
Не ступить в твоє він стремено...

Іди, потішайся до смертного дня...
Ви, вірнії слуги, візьміть-но коня,
Покрийте попоною, теплим рядном,
На луг мій завжди випускайте,
Купайте, годуйте добірним зерном,
Водою з струмка напувайте.»

І слуги в той час із конем відійшли,
А князю другого коня привели.

Олег під час свята підносить свій ріг
І п'є за героїв спочилих,
Волосся його, мов той ранішній сніг,
Що вкрив наддніпрянські могили.
Всі гості говорять про давнішні дні
Та друзів, полеглих в боях на війні.

«А де мій товариш?, — Олег запитав,
Вже довго його я не бачив,
Чи також він скаче, як я його мав,
Чи й далі він жвавий, горячий?»

І слуги сказали: «В корчах, над Дніпром
Давно вже заснув непробудним він сном!»

Олег став від вістки похмурий, сумний
І думає:» Що ж — чаклування?
Чаклуне, ти — просто безглуздий старий,

Не дійсні твої прорікання!»
І слугам сказав, що наступного дня
Він хоче побачити кості коня.

Ось їде могутній Олег із двора,
З ним — Ігор і князівські гості,
І бачать на кручі побіля Дніпра
Лежать вже оголені кості.
Їх миють дощі, засипає їх прах,
Вони заростають в густих бур'янах...

Князь тихо на череп коня наступив,
Промовив: «Спи, мій незабутній!»
Колишній хазяїн тебе пережив,
На тризні для мене майбутній.

Не ти ж від сокири траву забагриш
І кров'ю своєю мій прах напоїш...

«Так ось, де ховалась загибель моя,
На мене донині чекала!» -
Із черепа кінського чорна змія
З шипінням в той час виповзала,
Як чорная стрічка, круг ніг обвелась,
І скрикнув від болю ужалений князь.

***

Ковші круговії від піни шиплять,
Як тризну Олегу справляють,
Князь Ігор і Ольга на троні сидять,
Дружинники тут же гуляють.

Вони розмовляють про давнішні дні
І п'ють за загиблих в боях на війні...

12 березня 1992 р.

В Альпах Австрії

На схилі гір, немов в печері,
Каплиця давнішня стоїть,
Від віку покривились двері,
І вітер жалібно шумить.

До неї йдуть дубові сходи,
Зроблені вмілою рукою,
Та вже скриплять старі колоди,
Коли ступить на них ногою.

Над входом видно римські знаки,
Хоч час з стіни їх майже стер,
Але ще можна розпізнати
Той вік будівлі і тепер.

В ній відчуваєш прохолоду,
Як то завжди в гірській печері,
Пройшло там різного народу,
Що обписав всі стіни й двері.

Серця кругом, ініціали,
Любові й вірності слова,
А, може, тих, що їх писали,
Давно в живих уже нема.

В кутку, за ґратами старими,
Розп'яття Господа стоїть,
І Він ласкавими очима
На гостя кожного глядить.

І мов питає: «Брат, сестриця,
Чому не слідуєш за Мною?
Без мене легко заблудитись,
Йдучи дорогою мирською.»

«Відкрий скоріше серця двері
І мене з вірою впусти,
Щоби з тобою повечерять,
Тобі ж — спасіння віднайти.»

Приємно в наші дні печалі
Зайти туди без скарг людських
І замінити квіти в'ялі,
Букетом свіжих, польових.

Квітень, 1988 р.

З історії

Античний край з країв — Єгипет,
Один з могутніших держав,
Царя Менеса грізний скипетр
Два різних краї об'єднав.

І народилася держава
І місто славнеє — Мемфіс,
Зростала краю гучна слава
І був в пошані бог Апіс.

Мінялась влада фараонів,
Єгипет ріс і процвітав,
Боями мужніх легіонів
Цей край держави підкоряв.

В нім жив Платон — філософ славний,
Жерців перекази вивчав,
Він про Атланту легендарну
Із їхніх описів пізнав.

І Піфагорам посвящався,
Могутнім магом в ділі став,
В полон Камбізові попався,
Як в Вавілоні проживав.

Дванадцять років у Халдеї
Знання він з магії вживав,
З проханням друга з Іудеї
Камбіз свободу дарував.

Прибувши в Грецію, в Афіни,
Він школу Муз там збудував,
Про неї свідчать нам руїни,
Сам від меча злочинця впав...

На всім фундаменті Єгипту
Основи мудрості стоять,
І в пірамідах, в тайних криптах
Їх ієрогліфи хранять.

А у Карнакі на колонах,
Що цар-Рамзес побудував,
Були написані закони,
Які він там зашифрував.

29 січня 1992 р.

Українське Чорне море

Українське Чорне море —
Найчорніше із морів,
І глибоке, і просторе,
Для всіх розмірів човнів.

По тобі хто міг, той плавав
З незапам'ятних віків,
Та твоя безсмертна слава
Почалась від козаків.

Там, на дні твоїм глибокім
Не одне лежить судно,
Бо в бою нічнім жорстокім
Було знищено воно.

І військові там галери
Із гребцями із рабів,
І фелуки, і люгери
З флоту турків-ворогів.

Пішли люди в трумну водну
З кораблями в глибину...
Мало знаєм ми сьогодні
Про ту сиву давнину,

У козацьких всіх походах
Під командою Сірка,
В царгородських чистих водах
Пам'ятають козака.

У Синопі, Трапезунті,
Через козацький той наскок,
Не одне судно на ґрунті
Закінчило плавчий строк.

Отакі були ті хлопці,
Українські вояки,
У сутичках переможці,
Як, звичайно, козаки.

Якщо дехто ще не знає
Про походи козаків,
Хай в історії читає
Дії згаданих часів.

20 лютого 1992 р.

СВІТ ПРИРОДИ

Про зозульку

Весною вдома, мов в раю,
Надворі добре бути,
Бо там, в зеленому гаю,
Зозульку часом чути.

В день давній, теплий, весняний
Сидів я над водою,
Вітрець теплесенький, легкий
Все бавився з травою.

Десь на вербі, в густих гіллях,
Зозулька закувала,
Вона мене в далекий шлях
Тоді випроводжала.

В усіх країнах, де б не був,
Зозульку ту згадаю,
І наче б чую її спів,
Що в вербах все лунає...

14 травня 1986 р.

Земна куля

Прекрасна ти, плането, у просторі.
Достойне похвали твоє вбрання.
Хоча і ллється кров в людському горі,
Та жодна із планет тобі не дорівня.

Сьогодні ти, мов човен в океані,
На палубі — неспокій і біда,
Якби усі поснули християни,
В бездонні трюми хлинула б вода.

Ти знаєш, як убили Капітана,
Та смерть Його безцільна не була...
Голгофськії смертельні Його рани
Ведуть людей на праведні діла.

Зморилась ти, замучилась під гнітом
Насильства, перелюбу і війни.
Ні бомби, ні підпали з динамітом —
Ніколи не спасуть тебе вони.

Озброєння, мов пекло, є жорстоким,
Колись його понищить мудрий люд,
Але спочатку Капітан в короткі строки
Звершить над сатаною страшний суд.

Плането! Ти, аж поки сонце сяє,
Лети собі в орбіті, все лети,
Поки Любов Творця тебе всю обіймає,
Поки не втратила ще віри в нього ти!

28 лютого 1993 р.

Балада про орла

Орел весь час у клітці проживав,
Нещасний птах, полонений від роду.
І ось, побачивши, що він старий вже став,
Його надумали пустити на свободу.
Нехай, як то належиться орлу,
Помре він в небі від розриву серця...
З орлом підняли клітку на гору
І відчинили золотії дверці,
А хлопці втрьох сховалися в кущах,
Притихнувши, чекаючи, що стане...
Один сказав:»Зірвавшись з вишини,
Об скелю вдариться оцей шалений птах
І вже ніколи він не встане.»
Другий подумав: «Буде все не так,
Орел підніметься у небозводі
І нам крилом подасть прощальний знак —
Ознаку вдячності дарованій свободі.»
А третій вирішив:
« Орлячу знаю хижу я природу,
Бо те присуще цим птахам,
Як вирветься із клітки на свободу,
То вічно мстити буде нам,
Як той москаль сусідньому народу.»
І поміж них ішла дискусія в кущах,
Наповнена вагомими словами...
Тим часом з клітки, вилізши, той птах,
Чомусь-то не змахнув крилами.
Обвів спокійним зором весь далекий ліс,
Гору, річки, зелений простір поля
І знову в клітку тісную поліз...
Не знав з дитинства він, що значить тая воля.

11 квітня 1992 р.

167

Смерть орла

В клітці залізній, в неволі чужій
Мучився довго орел молодий,
Їжу мізерну щоденно клював,
Тихо і гордо самотній згасав.
Люди частенько сміялись над ним,
Він залишався спокійним й сумним,
Довго дивився з презирством на все:
Різні нападки, що кривда несе.

Якось відкрилася грізна тюрма,
Спала з очей враз гнітюча пітьма,
З криком він крилами сильно змахнув,
В вільній блакиті нараз потонув!
В радощах груди вільно зітхали,
Очі удалеч небес проникали...
Там, де в тумані кінчалась земля,
Нагло метнула блискуча змія;
Потім віддалений гуркіт почув,
Котрий повітря слабенько здригнув.

Дивная зміна звершилась в орлі,
Горда могутність проснулась в крилі!
Просто і сміло до хмар він летів,
Стрінутись з ними хотів!

Тихіше, поволі, безглуздий! Вперед,
Вище, все вище в погордливий лет!
Вище, все вище, і в скупчення хмар
Врізався птах, мов у вугілля шахтар,
Гуркіт заглушливий стрінув його,
Птах не згасив в леті духа свого,

Блискавки-громи в орла навкруги,
Та не спиняли його «вороги».
Ближче, все ближче... Тут нагло стріла
Гнівно ударила в серце орла!
Клич перемоги завмер на вустах,
Каменем з неба звалився він в прах...
Тут, біля клітки своєї він впав,
Там, де він мучився й гордо страждав.
Натовпом люди прибігли до нього —
В клітку замкнули в'язня свого.
Пізно!.. Здригнувши востаннє крилом,
Він заспокоївся вічності сном.

16 листопада 1992 р.

Про горобців

На жасміні горобці
Із самого ранку:
Цвіріньчать малі співці
В пошуках сніданку.

На знайомому кущі
Ждуть собі й вечері
І злітають геть мерщій,
Як відкриєш двері.

Між людей вони живуть,
В стріхах захист мають,
Де діру якусь знайдуть,
Там гніздо звивають.

І на дощ в моїм садку,
Я спостерігаю,
Як купаються в піску,
Зміну відчувають.

Я кидаю крихти їм,
А зимою — й просо,
Харч не можна віднайти,
Бо все сніг заносить.

Їх частенько на зорі
Цвірінчання чути,
І у мене у дворі
Їм приємно бути.

Забезпечень в них нема,
Грошей не існує,

А природа їх сама
Одяга й годує.

Я також даю пташкам
Хліб черствий в дарунок,
Бо він також їм, як нам,
Корисний на шлунок.

Горобці, зі слів селян,
Українські пташки,
Бо у них, як в наддніпрян,
Браві є замашки.

Вони б'ються за харчі,
За малу зернину,
Та цвірінькають в кущі
Про якусь новину...

Десь ховаються в пітьму,
В холоди і в бурі.
Я дивуюся всьому,
Що у них в натурі.

Всі з природою живуть,
Всі закони знають,
І із сонечком встають,
Й Бога прославляють.

Отакі-то ці пташки
Всі — малі й сіренькі,
Хитрі, мудрі й гомінкі
З України-неньки!

15 грудня 1991 р.

Журавлі

Осінь золота вже наступила,
Ліс старий, дубовий пожовтів,
Жде женця невикошена нива,
Колос вже давно її дозрів.

Журавлів побачив в небі зграю
Відлітаючих у вирій, побут свій,
Я їх поглядом в дорогу проводжаю
І ще бачу білу зграю в ній.

Бачу їх політ до неба,
Чесних і побожних громадян,
Що давали поміч там, де треба,
Помислом правдивих християн.

Лиця в них веселі і бадьорі,
Чути їм небесний, гарний спів...
Знаю я, що скоро буду в зборі
Тих приємних, білих журавлів.

Дві троянди

Стих поволі гомін в танцювальнім залі,
Скінчилась забава і замовк рояль...
На столі лежали дві троянди в'ялі,
Тихо спала в них німа печаль.

Одна з них була сніжно-біла,
Мов усмішка, хлопцю, несміла...
Друга — червона, аж темна,
Як мрія для серця таємна.

Одна з них — сумна і нещасна,
Як наче та зустріч мовчазна...
Друга — якась особлива,
Як дівчина мила, чутлива...

Чекали вони, час забави пройшов
І згасла надія на зустріч, любов...
На столі залишились троянди сумні,
Забуті, зів'ялі, неначе у сні...

Березень, 2000 р.

Зима наближається...

Листя жовтіє, зима наближається,
Хмари, мов смуток, по небу пливуть,
Сонце за обрієм швидше ховається,
Дні все коротші й коротші стають.

Повниться галасом ліс засинаючий,
Птахи концерти прощальні дають,
Ключ журавлиний вже зник завмираючи,
Ластівки жваво розмову ведуть.

«Як почуваєшся, пташко мандруюча?
Ти відлітаєш? Чого, в який край?» —
Так запитала ворона, сумуючи,
Ластівку раз з пролітаючих зграй.

«Так, відлітаю в край теплий — озвалася,
Щоб від зими порятунок знайти,
Нам від батьків це, вороно, дісталося...
Південь нам може життя зберегти.»

«Як?» — Розсміялась ворона столітня, —
Ти ж бо не знаєш дороги туди,
Та і сама ще слаба, малолітня...
Чи не віщує дорога біди?

Та й відкіля тобі знати той напрямок?
Ти ж бо в краю тім іще не була,
Я і сама не знайшла такий закуток,
Де б без зими свої дні дожила.»

Ластівка швидко вороні відказує:
«Серце підкорене зроду у нас
Силі, що лет цей здійснити підказує,
Ми бережемо свідомо наказ....

Вірим тому, хто до вирію вічного
В серце пташине наснагу заклав,
Й до повороту додому щорічного
Пристрасть, бажання і силу нам дав».

25 лютого 1993 р.

Історія про сорочат

Часто згадую я мишку,
Що пробігла коло ліжка.
Все я добре пам'ятаю,
Бо хорошу пам'ять маю.

То було в дитячі роки...
На тополі дві сороки
Все сиділи, стрекотіли
І гніздо на ній зробили...
Годували сорочата,
Та й поїли в нас курчата.

Вирішили батько з братом
Тих сорок повиганяти.
Дуже довго планували
Та драбину майстрували,
Як на дерево полізли,
То було тоді вже пізно.

Бо чекання — часу трата.
Дні за днями проминали,
А тим часом сорочата
Із гнізда повилітали.

Липень, 1985 р.

176

РОЗМАЇТТЯ НАСТРОЇВ

Похорон кошового отамана Запорізької січі Івана Сірка

Згустилися хмари тим жалібним днем,
Коли ми могилу копали,
І тіло з прощальним гарматним вогнем,
В могилу сиру опускали.

Покладено шаблю у дім гробовий,
Тій вічній дощаній неволі,
Одягнене тіло в жупан січовий,
Щоб спав він, як воїн у полі.

Козаки хоробрі у вірнім строю,
Із шаблями струнко стояли,
Сіркові зложили присягу свою...
І мужність в боях обіцяли.

Заслужену почесть йому віддали,
Як в яму його опускали,
Пригнічені втратою люди були,
І сльози в очах їх блищали.

Із смутком молились козаки Творцю,
Спокою Сіркові бажали,
Дивилися мовчки в дорогу мерцю,
Про завтрашній день міркували...

Можливо, що ранком орда нападе
В отій неочіканній силі,
Сірка отой ворог ніде не знайде,
А нас всіх поглине, як хвилі.

Не зможуть торкнутись у мирному сні,
До сплячого руки ворожі,
Ти спиш, отамане, в своїй стороні...
Тобі не потрібно сторожі...

Прощай отамане! Нехай ця земля
Буде для тебе м'якою,
Нам прикладом стане хоробрість твоя,
Щоб йшли ми сміливо до бою!

Прощай отамане! Клянемось тобі
В оцю нам скорботну годину,
Ми будемо стійкі в своїй боротьбі
За вільну, святу Україну!

В Капулівці, в полі, є камінь старий,
Могилу околиця знає:
Сірко в тій могилі — ватаг кошовий,
Як знаний герой, спочиває...

Грудень, 1991 р.

Невідомий співець

Як гарний звук в забутій лірі,
Мов іскра в темних небесах,
Незнану пісню в Божій вірі
Я виллю в огненних словах.

У світі є співак свавільний,
Що не живе для марноти,
Зриває він весь час доцільно
Небесні квіти з висоти,
Подяки людства не чекає,
Також — і раннього вінця...
Почуйте всі, хто ще не знає
Цього свавільного співця!

4 листопада 1992 р.

Час відродження

Час пробігає поволі,
Віруй, надійся, чекай...
Колос жовтіє на полі,
В зборі зерна не дрімай!

Сіялось сім'я віками,
Коріння глибоке в ріллі;
Знищиш дерева з пеньками —
Лихо не вирвеш з землі,

Нам його в голови «вбили»,
Предки зріднилися з ним.
Мертві в Сибірі спочили,
Діло настало живим!

Сором тому, хто все тужить,
Він, мов листочок сухий...
Слава, хто істині служить
І Батьківщині своїй!

Пізно ми очі відкрили
В рабстві у краю своїм.
Мертві в тортурах спочили...
Діло настало живим!

Ґрунт відповідний готовий,
Сійте! Настала весна
Вірного діла і слова,
Доброго краю зерна.

Де ми і в кого купили —
Людям відомо чужим.
Мертві в чеканні спочили...
Діло настало живим!

4 листопада 1992 р.

Сила слова

Мораліст один дбайливий,
Нам про бідних говорив,
Про їх стан життя жахливий...
Помагати їм нас вчив.

Говорив про різні цілі
І достоїнства людей,
Не жалів докори смілі
На всі розкоші дітей.

Мова ця була правдива,
Не один там сльози втер,
Тишина була на диво...
Кожний слухав, аж завмер.

І, щоб галас не чинили,
Відігнали двох сліпців,
Бо настирливо просили
Щось поїсти в слухачів.

6 листопада 1992 р.

Горе діда

Дід сидить в старій хатині,
Ремонтує невід свій,
А онучок тут, на сіні,
Лежить хворий і сумний.

«Зла погода вже обридла,
Коли ж скінчаться дощі?» —
Так онук питає діда...
Дід говорить: «Підожди!»

«Коли ж сонечко засяє,
Зашумить зелений гай?» —
Хлопчик збуджено питає...
Дід говорить: «Зачекай!»

«Чи ж то скоро вдвох з тобою
Ми підем на коропи,
За джерельною водою?»
Дід говорить: «Потерпи!»

«Ти ж казав, що час настане,
Коли скінчиться зима,
Нам відпустять з неба маму,
А її нема, й нема...»

І з докорою-словами
Хлопчик тихо говорив:
«Не діждусь я, мабуть, мами,
Не діждуся ясних днів.»

Дід над неводом дірявим
Сльозу в горі проронив
Й своїм голосом ласкавим
До онучка говорив:

«Почекай, хлопчинко, трошки,
Може скінчиться гроза,
Я зварю тобі горошку
І шматочок гарбуза.»

І онучок в своїм ліжку
На хвилинку замовчав,
Й, дивлячись на діда нишком,
Його горе розпізнав.

І в гарячці встав тихенько,
Дідуся свого обняв
По-дитячому, ніжненько,
Як то Бог дитині дав…

9 жовтня 1992 р.

Дід і смерть

Ніс дідусь поволі
В'язку дров із лісу,
Проклинав він долю
Непотрібну й бісу.

«Ліпше мені вмерти,
Чим отак страждати.
Прийди, моя смерте!» -
Дід почав прохати.

Він присів на дрова
Трохи відпочити,
Вголос вів розмову,
Що не хоче жити.

Навіть кликав Бога,
Щоби смерть настала...
Раптом ззаду нього
Та з косою стала.

Промовля: «Небоже,
Смерть прийшла до тебе,
Котра допоможе
Вчинити, що треба!»

Дід, як смерть побачив,
Тілом затрусився
І, вдаючись вдячним,
Смерті поклонився.

І сказав: «До речі,
Зроби добру ласку:
Підніми на плечі
Мені дров цих в'язку!»

31 липня 1992 р.

Я і мій товариш О.Солодуха

Здається, вчора ми з тобою
В м'яча на стадіоні разом грали
І по струмочку між вербою
З паперу човники пускали.

«Пливіте, човники, кудись,
Ніде в путі не зупиняйтесь,
Несіть від нас хорошу вість
І з кимсь, зустрівшись, привітайтесь!

Якщо зустрінеться ота,
З ким жить, побравшись,
доведеться,
В цій дії здійсниться мета —
Нехай скоріше відгукнеться!»

На кожнім човнику ім'я,
Також з адресою стояло,
Надію мали він і я,
Із ким би щастя нас з'єднало.

Але вони, пливучи десь,
Нам на дорогу натякали
В далекий край, на вік увесь,
Щоб ми додому не вертали.

Березень, 1983 р.

Де набрати грошей емеритам?

Важко жити емеритам
На маленькі гроші,
Тягне їх державне мито
І «цілі хороші».

Ой, скажи нам, адвокате,
Де ті гроші брати?
Чи хатину продавати?
Чи десь доробляти?»

Треба гроші на бенкети.
Пікніки, забави,
На союзи, комітети
І на їх управи.

На парафії всілякі,
На дахи, на дзвони,
На малюнки, на відзнаки,
Ще й на спас-ікони.

На хрести і на статуї,
На свічки, на ризи,
На сестрицтво, на козацтво,
І на їхні призи.

На кадила, на кропила,
На блискучі ряси,
Все, що церква закупила,
На її прикраси.

На докторів, професорів,
Також на дентистів,
На майбутній дім сеньорів
І на окулістів.

І на ті важливі цілі,
Як на хворі люди
Постраждалі в Чорнобилі
З техніки — облуди.

Гроші треба Баундбруку,
І святому Риму,
Ліпше б дати в добру руку
Львову — побратиму.

Та ще їдуть дисиденти,
Промовці, артисти,
Друзі, родичі, студенти
І авантюристи.

І тепер вже не бажають
Хусток та блюджинсів,
А постійно вимагають
Коштовних гостинців.

Дай їм «тейпи», «вісіари»,
Комп'ютери, гроші,
З шкіри якісні товари,
Кожухи хороші...

Дай їм все, що вимагають:
Авта, мотоцикли...
Чим платити — не питають,
Бо до цього звикли.

І пливуть ті датки-гроші,
Та ніхто не дбає,
Що на «цілі ці хороші»
Їх не вистачає.

Ой, порадь нас, адвокате
Бідних емеритів:
Де ж нам грошей тих набрати
На всі цілі в світі ?

12 листопада 1990 р.

Діалог з доктором

Моє серце — не із криці
Вже слабішає помалу,
Доктор знаний, із столиці,
Дав мені пораду сталу:
Він сказав: «Як хтось з громади
Говоритиме дурниці,
Уникай гріха-завади,
Спочивай в своїй світлиці.
Як почнуть кричати діти,
Або чимось докучати,
Треба духом володіти
І з байдужістю мовчати.
Чи вогонь, чи надр тремтіння,
Або десь грабунок хати...
Знай одне: твоє спасіння —
Серця спокій зберігати».

Оцю доктора пораду
Моя думка не сприймає..,
Не допустить серце зраду
Проти тих, хто десь страждає.
Вивів Бог мене з неволі,
Щоб іти назустріч бідним
І нещасним в їхній долі
Помагати необхідним.

Коли дірка у відерці,
Нащо ж воду наливати?
Через спокій в власнім серці
Неможливо поміч дати.
Хвилюватися — це мало,
Треба духа око зряче,
Щоби серце відчувало
Всіх отих, хто гірко плаче!

21 липня 1993 р.

В безсмертя потяг наш несеться

Наділи сосни сніжний одяг
І ніч простори облягла,
Летить швидкий у вічність потяг
По залізниці, як стріла.

Минає скелі, прірви, хати,
І теж життя-буття своє.
Всім подорожнім провожатий
Квасок холодний роздає.

Один з людей завмер в романі,
Другий все дивиться в вікно,
А третій б'є по чемодані
Кістяшки чорні доміно...

А хтось все лається постійно,
Кидає гострее слівце,
А інший спить собі спокійно,
Прикривши шапкою лице...

А збоку дівчина сміється
І п'є поволі свіжий квас...
В безсмертя потяг наш несеться,
Щоб всім доїхати в свій час.

І контролер — із тих дбайливих,
В вагон надумає прийти
І без квитків гостей фальшивих
Попросить з потяга зійти.

І він встановить справедливо:
Хто в марноті прожив свій строк,
Й кому із потягу дбайливо
Був, дійсно, проданий квиток.

30 серпня 1993 р.

191

Еволюція

Весь грішний світ в науці має
Найутопічнішу з ідей:
Це Дарвін людство запевняє,
Що мавпи — предки всіх людей.

Щоби підтвердить вчення віку,
Потрібно кості відшукати
Якоїсь мавпи-чоловіка,
І цим, можливо, доказ мати.

Оголосили всім, усюди,
Що, може, кості хтось знайде,
Та, як на гріх, ті мавпи-люди
Їм не трапляються ніде.

Подяку звірам скласти можем:
Гієнам, левам і вовкам,
Бо з'ївши жертви, разом кожним
Вони лишали кості нам.

Тоді взялися ми шалено
Збирати кості у землі.
Хоча ця праця надаремна,
Та гроші платять нам незлі.

Один англійський вчений- Лікі
В розкопах Кенію пройшов,
Шукав він мавпу-чоловіка,
Та так його і не знайшов.

Свої у пошуках турботи
На старість сину передав,
І лиш тому, щоб без роботи
Його нащадок не гуляв.

І, мов той кріт, старанний Лікі
Всі роки в пошуках пробув,
Він твердо вірив чоловіку,
Але про Господа забув.

Бо сотворив Творець людину
І також мавпу на землі,
А чоловік, як та дитина,
Що у ідеї вірить злі.

Спасибі, Дарвін, за турботи,
Що ти заняття людям дав,
Бо в даний час знайти роботу
Є дуже важко, як ти знав.

8 квітня 1992 р.

Не чуло вухо, не бачило око...

Не чуло вухо, не бачило око,
Що Бог заготовив всім вірним Йому,
Хто праведним духом піднявся високо
І служить Христові — Йому одному!

Христос — це те слово,
Яке всі пророки, що духом натхненні,
Його предрікли,
Рожденні від віри, рожденні духовно
Під Божими крилами захист знайшли.

І будуть постійно у Божих хоромах
Ті діти Христові Христа прославлять,
А всі, що любили людські забобони,
Мов тонка солома, у пеклі згорять.

21 грудня 1986 р.

На спогад Володі Гайдука-Боберського

Похмурно, зимно надворі.
Стою, розглядаю могили.
На цім Елмвудськім цвинтарі
Лежать батьки мої спочилі.

Колишні друзі й вороги
В могилах мирно спочивають,
Ні інкомтекси, ні борги —
Ніщо вже їм не докучає.

Є тут могили і такі,
Що вже покрилися травою,
Байдужі стали земляки,
Зайняті денно марнотою.

Летять на автах все кудись:
На танці, бінго, реферати...
Пусте холодне слово скрізь
Не вчить могили пильнувати.

Біля дороги помічаю,
Малий сіренький камінець,
Хто там спочив я добре знаю:
Гайдук-Боберський (полтавець).

А хтось йому на ту могилу
З паперу квіточку поклав,,
І він так ясно і щемливо,
У моїх спогадах повстав:

Любив він дуже Україну,
Полтавське поле, річку, гай,
Чекав на радісну годину,
Що повернеться в рідний край,

Була в краю у нього мати,
Якій Володя помогав,
Не мав ні авта, ані хати,
Та й сам нікчемно заробляв.

Як той Закхей, маленький зростом,
Він мав в житті тернистий шлях,
Усі такі — сіренькі, прості,
Могутні в вірі на ділах.

Він в кожну вільную годину,
Все друкував «Летючий Лист»...
І, миючи вікно, загинув,
Упав з будинку на поміст.

Отой випадок на чужині
Так скоротав йому літа,
Дожити вік на Україні
Його не здійснилась мета.

Даремно мати в Україні
Чекала здалеку новин,
Та вже спочив у домовині
Її єдиний добрий син...

22 березня 1985 р.

Голова і ноги

Зморившись бігати й ходити
По вулицях, по сходах, хідниках,
Один раз ноги з криком, гнівно
Сказали голові: «Це просто — жах,
Що ми повинні слухати твого наказу:
Чи уночі, чи вдень, чи влітку, чи взимі,
Коли надумаєш ти щось собі відразу
Кудись нести тебе, не знаємо й самі,
І не питаючи на згоду в нас ні разу,
А просто так, як ти свавільно рішаєш,
Та ще й у мешти нас постійно запихаєш,
І мориш, як колодників брудних,
А сидячи вгорі лиш хляпаєш очима,
Та ще б, якби сама була до них
Завжди уважніша, без руханки плечима,
Так ні! Коли тебе по різних вечорах
Несем на зустріч паннам, і панам,
Тоді шануєш нас, та як в свій дім вступили,
То ноги, по твоїм словам,
Неначе зовсім не ходили.
«Мовчати!» — Голова сказала їм. «Мовчати!
Чи не страшить вас моя сила?
Бродяги ви, чи вам таке казати,
Коли мені це місце наділила

Природа, вища вас, щоб вам наказ давати!»
«Ну, згода, що ти даєш накази
Але було б ліпше, якби нам ні разу
Тобі не випадало догоджати,
Ми можемо також на це відмову дати,
А спотикнемося колись, нема де правди діти,
Твою могутність зможемо об камені розбити!»

Зміст байки, певно кожний знає,
І хай на вус собі весь зміст її мотає...
Дурний, хто так багато розмовляє!

Серпень, 1993 р.

В Москві, на Іванівській площі є два пам'ятники: цар-гармата і цар-дзвін. Цар-гармата характеризується тим, що вона ніколи не стріляє, а цар-дзвін характеризується тим, що він ніколи не дзвонить. Є і цар — християнин.

Цар — християнин

Доктор Стась був дивним ляхом,
Та в історію вписався,
Що своїм лікарським фахом
Він ніколи не займався.

І диплом його зостався
Без потреби для людини,
В маляри він записався —
І писав якісь картини...

Кажуть люди, якось раптом
Той маляр сказав знайомим:
«Я цар — доктор, це є фактом,
В цьому будьте ви свідомі!»

Цар-гармата в москвичів є,
Що в мовчанці вічній ходить,
Є й цар-дзвін у тій країні,
Та ніколи він не дзвонить.

Нехай люд увесь почує,
Що лях-доктор, що й казати,
Та, як доктор не лікує,
Як його нам називати?

А як хтось, можливо, статись
Для Христа — пуста людина,
Той, ким хочеш може зватись...
Він — загублена дитина.

Що йому той хрест голгофський?
Ціль життя — пуста витрата,
Мов цар-дзвін глухий, московський,
Чи мовчазна цар-гармата.

Дружба з світом пахне міллю,
Люд танцює і пиячить,
Не бажає бути сіллю,
Й світла Істини не бачить.

Такі люди зневажають
Заповіти Бога-Сина,
Тютюн курять, в карти грають...
Серце їх — суха билина.

Щоб царю — християнину
Кари Божої минути,
Мусить він в оцю годину
Вірність Богу присягнути.

В покаянні гріх зізнати,
В Сина прощення просити,
І на лях Христовий стати
Так, щоб й ворога любити.

Цар-гармата, стань пророком,
Заладуйся в цій годині,
І по всім людським порокам
Прогрими по Україні!

І цар-дзвін завжди стоячий,
Мовчазний, як є тривога,
Люд збуди духовно сплячий,
Хай спішить прийти до Бога!

Листопад, 1991 р.

Козацька слава

Гей, герої козаченьки,
Українські діти,
Ви — злочинці хорошенькі,
Ніде правди діти...
Воювали з ворогами:
Турків, ляхів били,
Та й «своїм» було ночами
Кривду — гріх чинили.

Як на Дон ви раз ходили
І назад вертались,
То дівчину полонили
З неї познущались:
Її бідну ґвалтували,
Мучили, душили
І до сосни прив'язали...
Потім запалили...

А та церква ваша рідна
Чому вас навчала,
Що ота дівчина бідна
Від «своїх» вмирала?

Від Христа ви відцурались,
І святого слова,
А до дошки присягались
З підписом «Покрова».

Отакі ви християни,
Хрещені в дитинстві,
Та жили, як бусурмани,
У брехні й злочинстві...

Жовтень, 1993 р.

201

Цікавий журнал

Хочу я, щоб люди чули,
Український весь загал,
Звідкіля взялись гуцули
І «Гуцулія» — журнал?
Щоб з дослідженням вивчали
Їх історію землі,
Та й «Гуцулію» придбали,
Завжди мали на столі...

Тут журнал давно існує,
Що пан доктор видає,
Цей журнал знання дарує,
Кругозір понять дає.

Не ходи в чужинську школу,
Знань навколо не шукай,
Дома шевського Миколу
Про гуцулів запитай!
Він з наук економічних
Має право — докторат
І з джерел тих історичних
В інституті — знаний брат!
Він — історик філіалу
І директор — голова...
Про доцільний зміст журналу
Має добрі він слова.

В цім журналі все пізнаєш
Про гуцулів, їхній край.

Як оцей журнал придбаєш,
То читай і уявляй,
Що твої духовні очі
(це коли натхнення є)
Чують — бачать серед ночі,
Десь трембіта виграє...
То гуцулці Ксені,
На трембіті у гаю
Про любов, в своїм натхненні
Вимовляє жаль свою...

Весь той край здається раєм,
Все з природою живе...
З гір вівчар надходить плаєм,
Черемошем пліт пливе...
А в садочку з черемшини,
Де обабіч стежка йде,
З цвітом в косах від калини,
Вівчара дівчина жде....

Там природа оживає
В дні погожі, навесні,
Всю місцевість покриває
І народжує пісні.

Бог природою керує
У гуцулів, без кінця.
Черемшини цвіт чарує
Молодих людей серця.

Кути, Косів, Коломию,
Історичні ті міста,
В них побути маю мрію,
Хоча дійсність — не проста...

Із журналу вже я знаю
(в певних опису місцях),
Що любов до свого краю
У людей живе в серцях,
Понад все шанують мову,
Гори, квіти і пісні...

І в кінець признанням слову,
Там дівчата чарівні:
Чорноокі, синьоокі...
Губи — з маку пелюстки,
Тілом — ладні, невисокі,
Просто — писані ляльки!

Листопад, 2000 р.

На похоронах недбалого інтелігента

Ваші руки нахрест складені
І у віях спить печаль,
Вам слова даремні згадані,
Ні до чого людська жаль.

    Ще недавно ви гордилися,
    Не віталися з хлопами,
    І посадою хвалилися,
    Та пишалися грошами.

А тепер це все зосталося
Чужим людям на землі,
Мрії, плани — все розпалося
На шпитальному столі.

    Ви із Богом сперечалися
    По суботніх вечорах,
    Бо до пляшки прикладалися
    І не каялись в гріхах.

До чужих жінок тулилися
По забавах, по балах,
Компліментів не скупилися
Тим, кого стрічали там.

    Та даремно панахидами
    Вас штовхають в Божий Рай,
    Поминальними обідами
    Не спасе вас наш звичай.

Ні священики, парафії,
Чи похвальні всі вірші,
Ні пожертви — датки мафії
Не врятують вам душі.

Що ви сіяли, те маєте,
Бо не сіяли в життя
І у пеклі споживаєте
І помиї, і сміття.

Хто любив всім серцем Господа,
Дав пожертви нескупі,
Той живе за Божим розкладом,
Скарб на небі має свій.

Травень, 1992 р.

Темрява знання

В старій одежі і подертій
Дідусь могилу рихтував...
«Чи щось існує після смерті? —
Мене він раптом запитав.

Чи є душа, чи вона чує,
Чи є життя десь далі там,
Невже ця смерть усе зруйнує
І всім кінець настане нам?»

Всі почуття, що дарували
Своїм коханим, як любов,
Погаснуть теж біля могили
Й не пульсуватиме більш кров?

Що з нашим розумом твориться
Коли час смерті настає?
Чи все в могилі завершиться?
Чи може щось по смерті є?

Якщо нема нічого далі,
То й змісту жити теж нема,
І надаремні думи сталі,
Тому й журитися дарма.»

Такі і інші ще питання
Він час-від-часу задавав,
І лиш важке, сумне зітхання
Старечий кашель обривав.

Таких, як той дідусь, багато,
Бо в темряві знання живуть,
Не намагаючись пізнати:
Куди по смерті почуття ідуть?

Травень, 1994 р.

Родичу Миколі Березовому...

Ти пішов передчасно в таємний той край,
Звідкіля вороття вже немає
І мені не сказав навіть тихе: «Прощай!»
Як належить, хто в путь вирушає.
Я молюся до Бога в скорботи цей час,
Бо Він спокій знайти допоможе...
Відчуваю, Миколо, що ти — серед нас,
Тільки дух твій озватись не може.
Залишилась Наталка в журбі, в самоті,
Ти ж в небесній оселі літаєш
На відомій лиш Богу отій висоті,
Як та зірка у космосі сяєш...
Залишилася хата без тебе пуста,
Господарство, де чесно трудився,
Двір, стодола, і інші місця,
Весь той край, де колись народився...
Я побачу тебе лиш тоді, як і ти,
Буду духом в ефірі літати,
Бо належить й мені в ту оселю іти
І навіки у ній спочивати.
Ти ще змалку багато страждань переніс:
Не жонатим, самотнім зостався,
По шляху кам'янистім свій хрест денно ніс,
А спокусам — гріхам не піддався!
Та життя на землі це — «суєт суєта»
(так пророк Єзекіль запевняє).
Хто надію поклав на Месію — Христа,
Той страждання на небі не має!

Не забуду тебе добрим словом згадать
Про гостини у тебе колишні,
Як літав я у Київ сестру навіщать
І тебе кожний раз в Дрогомишлі...
Знаю, знаю Миколо, що тілом лежиш
Біля мами й сестри Палагії,
А душею в четвертому виміру спиш
Десь в Раю, в нашій вірній надії.
Час-від-часу Наталка з Тарасом прийдуть,
Хтось із родичів інших загляне,
В квітах слово до тебе сердечно знайдуть...
Заспокоєння кожний дістане...

Листопад, 2001 р.

Закхей

Довгі роки в Єрихоні
Проживав Закхей,
Не ходив в святім законі
Праведних людей.
Він загарбанням надмірним
Скарб собі набув,
Завжди хитрим, лицемірним
Серед ближніх був.
Поступив собі на службу,
Податки збирав,
І завів з пороком дружбу:
Бідних обкрадав.
Він для кесаря дбайливо
День і ніч служив,
Як вампір, усім на диво,
Кров людську він пив.
На прохання і на сльози
Холодно дививсь
На тортури, на погрози
Сили не жалів.
Відрізнятися став скоро
В взятках хабарів,
Підіймався швидко вгору
Серед митарів...
З Риму раз наказ приходить:
«Старшим будь Закхей,
Кесар сам тебе знаходить
Добрим, як лакей!»
Кесар вірного єврея
Сам нагородив

І начальником Закхея
Міцно утвердив.
Став Закхей усюди знаним,
Багачем також,
І ходив шляхом захланним
Поміж всіх вельмож...
Ворожнечею своєю
Клекотів весь світ,
Ненавидів він душею
Той Закхеїв гніт.

Покорившись, безумовно,
Кожний так єврей
Говорив в душі: «Як довго
Будеш ти, Закхей
Обкрадати нас постійно
Митом, кожний раз?
Згинь ти нагло, непристойно,
І не муч ти нас!»

Пролетіли швидко роки,
Став Закхей сумний,
І з податками, з мороки,
Був він, як дурний.
Зненавидів він багатство
І поважний чин,
Побажав любові й братства
Іудейський син.
Та гріхи, неначе гори,
На плечах лежать,
Став усі людські докори
До уваги брать...

Раз, у натовпі народу
Йшов небесний Син
І Закхей відчув нагоду
Взнати, хто ж є Він?
«То є Вчитель і Зцілитель», —
Хтось йому сказав, —
Наче й душ людських Спаситель,
Мертвих воскрешав»...
«Та невже ж це може статись,» —
Думає Закхей
Що й мені спроможе дати
Світла, Назорей?»
Серце плаче і сумує
Вже багато літ,
І постійно в нім панує
Пустота і гніт.
«Побіжу туди скоріше,
Гляну на людей,
І пізнаю я раніше:
Хто є Назорей?»
Так надумав і до нього
Враз Закхей побіг...
Через натовп він нічого
Бачити не зміг...
Не побачив Назорея,
Зростом був малий,
Та знайшлася вмить ідея
Трудноці отій:
Вмить забіг вперед народу,
На тополю зліз,
Мав від натовпу свободу,
Дивлячись униз...

Ось Господь сюди надходить
І Закхей тремтить...
Він в душі своїй знаходить
Радість в оту мить.
Припинивши враз дихання,
На Христа глядить
І глибоке хвилювання
Серцю гомонить:
«Грішник Бога не достойний,
Й людям ворог теж,
Шлях життя пройшов гріховний
Вчинками без меж...
Відкидав закони Бога,
Мучив я людей,
Скрізь вела мене дорога
Пагубних ідей,
Грошолюбство, честь і слава
Затягли мене...
Чи достойний я прощення,
Миру дивний дар,
Чи пошле Христос натхнення
Скинути тягар?»
І гнітить його тривога...
Ось Він підійшов...
«Чи Месія це від Бога
Вже до нас прийшов?»
Простий одяг, вигляд смирний,
Глибина в очах...
Ось він чує: «Грішник бідний,
Щедрий я в дарах,
І Мені сьогодні треба
У твій дім прийти,

То ти злізь, бо є потреба
В тебе дах знайти...
Так з любов'ю друга, ніжно
Бог-Ісус сказав,
І Закхей тоді поспішно
В дім помандрував...
Серце музикою грає,
Збуджено бринить,
Вже він більше не страждає,
Радість в нім кипить...
Настіж двері вже відкриті,
Біля них — Закхей
Жде дорожчого на світі
Гостя із гостей.
Перед Господом моління
Прагне він здійснить,
Бо тягар гріха й сумління
Дух його гнітить.
В дім Спаситель тихо входить
І привіт дає...
Зором пильним всіх обводить,
Руку подає...,
Але різні зауваги
Чути від людей:
«Недостойний він уваги
Підлий цей Закхей!»
Він є грішник всім відомий,
І ще й кривдник наш,
Оббирала безсоромний,
Риму вірний страж,
Він все чисте і святе
За метал продав

І захланністю своєю
Край свій обкрадав.
Недостойний він, Ісусе,
Милості собі,
Хай вмирає у спокусі,
У твоїй ганьбі...»

І тремтячими устами
Враз заговорив
Грішний митар, і з сльозами
Душу відчинив:
«О, Месія, син Давидів,
Дуже я грішив,
Вчинків тих всіляких видів
Безліч я робив,
Та я каюся прилюдно
І прошу, прости,
Шлях життя мого облудний,
Серце освяти!
В нагороду всім невільним
Також і рабам,
Даром щедрим, добровільним
Вчетверо воздам,
Половину із надбання
Бідним відділю,
Серед них усі дарунки
Чесно розділю...»

І в мовчанці співчування
Від людей прийшло,
Тільки тихе ще ридання
В натовпі було...
Ось торжественний і сильний

Голос проказав:
«Я в любові — непомильний,
І тобі сприяв
Грішник бідний, визволення
Від провин гріхів,
І в заклад усиновлення,
Скарб моїх дарів.
Авраама сином нині
Ти душею став,
До моєї благостині
Я тебе призвав,
Все, тобі, Закхей, прощаю
Раз, і на весь час...
Я погиблого спасаю
Завжди, кожний раз,
Але прощений, без плати,
Ти в народ іди,
І до Мене всіх, завзято,
Грішників веди,
Будуть всі вони спасенні
Також, як і ти,
І достатком напоєні,
Миром повноти!»
Так казав Господь Закхею
На мольбу і звіт
І любов'ю він Своєю
Склав з ним заповіт...
В небі ангольське співання
Сповістило всіх,
Що Закхей від покаяння
Став в числі святих!

20 жовтня 1994 р.

216

Людина мрій

Хоч людина і старіє,
Про юнацтво завжди мріє,
І до років додавання
Практикує віднімання.

Спосіб цей стареньких віком
До юнацтва наближає.
Вік турбує чоловіка,
Він приросту не бажає.

Жінки прагнуть вік відняти
Та лице замалювати,
Припасовують перуки,
Й пазурі собі на руки.

На жіночу ту прикрасу
Йде багато грошей й часу...
Старші пані забувають,
Що свій час даремно гають.

Часто стогнуть старші люди
І хитаються мов п'яні,
Та розказують усюди,
Що були раніше знані...

Не хваліться знанням вашим,
Чи якимось там дипломом...
Ціль важнішу треба старшим,
Бути з Богом всім свідомо.

Бо спасенний чоловік
Завжди добре пам'ятає:
Не страшний для нього вік,
Він на рай святий чекає.

Лютий 1985 р.

217

Якщо...

Якщо вірний й сміливий у дії,
Не шкодуєш калікам гроша,
Якщо щедрість в тобі володіє,
То у тебе — шляхетна душа!
Як сумління відчуєш сьогодні,
Якщо прикрість у тебе пройшла,
Любиш правду, минаєш безодні,
Твоя доля шлях вірний знайшла!
Як в оточенні злиднів тривалих
Все висловлюєш в гарних словах:
Серцем, розумом, досвідом справи,
Ти — славетний у кожних ділах!
Якщо втомленим йдеш після праці
І вітаєш зустрічних чужих,
Та шануєш, неначе обранців,
Як приятелів добрих твоїх,
Якщо любиш правдиво, натхненно,
Непохитний, як бурям гора,
Також вдячний ти долі щоденно,
То живеш ти для правди й добра!

Як з любов'ю нерідній родині
Ти підтримку посильну даєш,
Твоя поміч, то — дар Батьківщині...
В такій дії безсмертя пожнеш!
Якщо день ти прожив недаремно,
І наступний не гасне в імлі,
То життя твоє в Бозі блаженне, —
Ти — щасливіший всіх на землі!

20 квітня 1994 р.

Хибні спроби ворогів

Дід по селах мандрував, —
Гарно грав на лютні...
Долю картами гадав
Про часи майбутні...

Та не треба в ці часи
Дуже мудрим бути,
Слухай вислів, голоси,
Щоби зміст збагнути.

Чути слово: «Голокост!»
Про який йде мова?
Хто творив отой хаос?
В чім доктрина нова?

Хто тим часом прикривав
Задум в певній зміні,
І підступно готував
Голод в Україні?

Хто церкви поруйнував,
Нищив ризи, дзвони,
До Сибіру заганяв
Тих, хто знав канони?..

Хто колгоспи закладав...
Відбирав худобу,
Здачу хліба визначав
В прикрість хліборобу?

Хто наказ тортурам дав,
Голодом душити?..
Кажуть, Сталін намір мав
Край — «Сіон» створити...

Роздум мав Наполеон
Про надію вдалу,
Щоб імперії кордон
Був до гір Уралу...

Бісмарк також плани мав
Про кордонні зміни...
В мріях «рейх» свій будував
З Криму й України.

Та й Пілсудський міркував
Про оту годину,
Коли б з військом кепкував,
Взявши Україну...

«Есе серію» побить,
Гітлер мав наснагу,
Та й з Дніпра водицю пить,
Гамувати спрагу...

Але наміри його:
Непохитні, сталі...
В мурах бункеру свого
Скінчились в печалі...

Голокостів — два було...
Вісім мільйонів
Українців полягло, —
Від «ЧеКа» загонів.

Другий — менший, з двох оцих,
Це ж бо — над жидами...
Мілійонів шість із них
Вбито німаками...

Голод Сталін закладав
З певної доктрини,
Щось створити планував
З Криму й України!

В Україну вороги
Лізли мов гадюки,
Та розбиті доноги
Опустили руки...

Ні одна з ворожих мрій
Успіху не мала...
Україна в побут свій
З небуття повстала!

Тут історії кінець...
Впали з рук кайдани,
Бо для людства Бог-Отець
Мав доцільні плани!

Грудень, 2000 р.

Самодопомога

Змагання з бігу настає...
Охочий завжди там буває,
Але медаль той дістає,
Хто перший прибігає.

    При війську теж устави є,
    І їх солдат докладно знає,
    Той нагороду дістає,
    Хто здібність, мужність проявляє.

На еміграції — своє...
Людина волю діям має,
Медалі в склепах дістає,
Та й без заслуг собі чіпляє...

    От пан один — Дмитро Волошин,
    Колись, в війну, при війську був,
    Хоча вояком він був хорошим,
    Але медалі не здобув.

Він до Америки приїхав,
І все ходив весь час сумний,
Бо прагнув «хрестика» для втіхи...
І тут він родича зустрів.

    Його Андрієм люди звали,
    Він з одного, з Дмитром, села,
    Вони довгенько розмовляли,
    Аж поки нічка надійшла.

Дмитро сказав, чого бажає…
Андрій говорить: «Це майно
У антиквара всяк придбає.
Я знаю грека одного…

    Той пан трофеї продає…
    І дещо можна там придбати,
    У нього навіть панцир є,
    Його за сотку зможеш мати.»

І так Дмитро тоді зрадів,
Що він зустрів того Андрія,
Та згодом хрестика надів…
Тоді здійснилась давня мрія.

30 грудня 1985 р.

Признання

Мені сумний цей світ гріховний,
З його пустою суєтою,
Тут брат на брата, гніву повний,
Іде ганебною війною.

В нім сплять духовні всі пориви
Свободи, миру і любові,
А ненаситний бог наживи
Свої будує установи.

Душа шукає прагнень інших,
Бажає правди в кожнім слові,
Отрута сумніву, між іншим,
Її псує в пустій розмові.

Вона чекає час світанку
З німою тугою своєю,
Та темрява, як ніч до ранку,
Панує й далі над землею.

Давно зі смутком помічаю,
Що грішний син юрби людської
На двері втраченого раю
Все поглядає із ганьбою,

А всіх отих, що прагнуть віри,
В святій, духовній повноті,
Клеймить печаткою зневіри
І розпинає на хресті..

Листопад, 1993 р.

Порада слов'янину

У кам'яній добі чи ері,
Жив слов'янин в гірській печері,
І в ній же з ним жила щодня
Його улюблена рідня.

Говорить раз одна людина,
Зустрівши того слов'янина:
«Щоб в темряві світило сонце,
Пробий в горі собі віконце,
А щоб постійно світло мати,
Вилазь з печери, йди до хати,
Давно ж на світ розумні люди
Вже повилазили повсюди»...

А та печерна особа
Вертіла пальцем коло лоба
І гнівно, палко відказала:
«Печеру влада нам вказала,
І то — дурне, що ти говориш,
Мене тепер не переробиш...
Стару традицію псувати?
В печері нас вродила мати,
Ми в ній живем і в ній вмираєм,
Твого ми світла не бажаєм!»

Та, щоб дійшло до цілі слово,
Не про печеру йде розмова,
А про те Світло Бога — Сина,
Щоб просвітити слов'янина,
Але він світла не бажає,
Життя печерне тільки знає,
Та й світло правди коле очі,
Тому він любить тільки ночі!

Грудень, 2000 р.

225

Сучасне Різдво

Ще й листопад в цім році не пройшов,
І снігу майже не було донині,
А «Санта Клаус» у крамницю вже зайшов
І посміхається хитренько на вітрині.

Гладенький, нафарбовані вуста...
Він — знаний Бог всіляких бізнесменів,
Вже захопив без бою всі міста,
На санях їздить скрізь у упряжі оленів.

А по крамницях метушаться покупці,
Купують все, що їх душа бажає,
Та надаремні клопоти оці,
В них спільності з Різдвом ніякої немає.

І на майдані, вже багато днів
Стоїть ялинка у своїм наряді,
Та вже надходить людству Божий гнів,
Бо служать дереву в цім світськім маскараді.

Ох, світ оцей всіх пошуків пустих,
Поглинула тебе облудливо спокуса,
Згадай про Ангола, він для людей простих
Приніс свідоцтво про народження Ісуса!

Згадаємо Різдво в оці суєтні дні,
Щоб жити нам з любов'ю, наче браття.
І мерзне надаремно на стіні
Христове намальоване розп'яття...

Грудень, 1994 р.

226

Вивіска-картина на мексиканському ресторані в місті Чикаго

При ресторані, на вітрині,
Хлопчисько-вершник на картині,
У капелюсі і в сідлі,
Постійно їде на ослі...

В руках криву він вудку має,
Перед ослом кінець тримає...
Там на гачку, як в рибака —
Морквина замість хробака...

Осла приваблює морквина,
А він все йде аж ллється слина,
І стільки б часу він не йшов,
То до морквини б не дійшов.

Так в церквах податки збирають
І царство в небі обіцяють,
Тримають «моркву» всім і всюди,
Щоб мали ціль наївні люди.

Незмінно, вічно час летить,
Осел з хлопчиною спішить,
І день за днем ковтає слину...
У мріях їсть оту морквину...

Що знають люди про той рай,
Ту ціль «спочинку» в нашій вірі?
«Отці» гадають, що той «край»
Десь в небесах, в якімсь ефірі...

В раю життя дається тим,
Хто у обряді слушність має...
Священик молиться над ним
І в рай «обрядом» заганяє.

Ніхто не може розказати
Про те чудове райське місто,
Про котре можна лиш гадати,
Як про діамантове намисто.

Якщо життя у тім раю
Дається всім по вірі і даремно,
Навіщо ж датки я даю?
Чи знає хто напевно?

Церков в цей час багато є...
«Отці» дохід з них добрий мають,
Спасіння, жодний, не дає,
А лише «морквою» махають.

Чи молодий, а чи старий, —
Священик ціль незмінну має:
Машину треба, дім новий,
А гроші церква постачає.

Отак було і далі є
У нехтуванні Заповіту.
Весь люд за «морквою» іде
До днів останніх цього світу!

Квітень, 2002 р.

Я думку гадаю...

Живучи в Америці, думку гадаю:
Чому не в Німеччині я проживаю?
Тоді б я скорочення відстані мав,
І в Україну частіше літав:
Відвідав би хворих, старих і голодних,
Що важко бідують без засобів жодних...
Я б всюди заглянув: в хати, у стодоли,
До всіх бідолахів, покривджених в долі.
Надав би посильну з харчів допомогу
І грошей би дав на медичну підмогу,
Сказав би нещасному добреє слово,
А комусь на свято отак випадково
Підкинув би їжі й напоїв багато,
Щоб справді в достатку проходило свято....

А якби, можливо, я лебедем став,
То, певно, б у Київ негайно злітав.
Є план особливий задуманий мій:
Злітати на вулицю «Наталі Ужвій».
Живе там постійно одна поетеса,
Про неї, гадаю, розказує преса,
Пісні її радіо завжди співає
Про ніжне кохання, яке не вмирає.

За поетесою лебеді ходять,
Якесь товариство таємне знаходять...

Я б лебедем-гостем над ними крутився
І також поволі б до них прилучився.

Отій поетесі — столичній принцесі,
Хай Київ дарує мистецьку корону,
А я, білий лебідь, — троянду червону!

Липень, 2002 р.

ПЕРЕКЛАДИ

Зупинися!

Постій прохожий, зупинися,
Додолу вухом нахилися.
Тут, під плитою, є могила,
Що моє тіло схоронила,
Якщо ти хист природній маєш,
Тоді, ти правди зміст пізнаєш:

Ти є живий, та мертвий я,
І кожний про це знає.
Я — твій двійник, я — тінь твоя,
А все ж нас щось єднає,
Хоч я — в могильній глибині,
Та ти себе побач в мені:

Гість на землі, з придбанням знань,
Ти, все ж — людина тлінна,
Твій дух — це гра марних бажань,
Їх зміна безупинна.

Твої діла? Води ковток,
Життя? Безцільних днів струмок,
А ця могильная плита,
Як камінь предковічний,
Під ним погасне вся краса

І крок життя твій звичний.
Не пронесеш за коло це:
Скарб, гроші, книгу, чи кільце...

Ні, про пощаду не проси,
Не буде по-твоєму,
Як від підошви до землі,
До мертвого — живому.
Мов вирішальна мить двобою,
Твоя могила під тобою.

Гей, ви творці всіх знаних книг,
Ви — велетні науки,
Чи розум дав якийсь вам шанс
Уникнуть зла і муки?
Я теж читав і все вивчав,
Однак час смерті все ж настав.

І думав я, хоч мить біжить,
Хапай, бери без бою...
Та чуєш? Дзвін уже дзвенить
За ким? Не за тобою?
Це він питає про твій стан
Душі і мрії чисті,
Бо може й далі гріх-дурман
Тебе трима на листі?

Маєтки в тебе немалі,
Ти тішишся з них звично,
Та скільки треба тут землі,
Щоб в ній лягти навічно?

Ти брав у намірі своїм
Захоплення чи радість з бою...
Та славу, гроші, власний дім
Ти не візьмеш з собою,
І кожний другий чоловік
Тебе забуде через рік...

Так що ж залишилось тобі?
Якщо тебе щось тішить,
Спіши, щоб пам'ять по собі
Найкращу всім залишить...

А там, в безхмарному краю
Є для душі спасіння,
Хто праведність плекав свою,
Заслужить воскресіння.

Від зла твій дух тримай завжди,
Ти зрозумів? Тепер іди...

1995 р.
Переклад з вірша
поета Миколи Вадена

233

Український пророк

По волі вічного Судді,
Я уподібнився пророку,
Почав читати я тоді
В очах людей письмо пороку.

І я відкрив уста свої
Для слави Божого спасіння;
Та в мене ближні всі мої
Кидають з сваркою каміння.

Схиливши голову свою,
Я від людей пішов додому,
За чисту віру я стою
У світі грішному й сумному.

А Бога-Сина навчання
Мене духовно укріпляє.
Той ходить завжди навмання,
Хто щастя хибного шукає.

Коли по вулиці я йду,
Або сиджу з людьми часами,
З них більшість, наче б на біду,
В мій бік хитає головами:

«Зневага хлопу отому, —
Він гордий став, не — в згоді з нами,
Бажає вірити йому,
Що каже Бог його устами!»

«Зверніть увагу в бік того,
Який сумний він, безнадійний,
Нещасний, сивий, неспокійний...
Як ненавидять всі його!»

Листопад 1993 р.
Переклад з російського вірша.

По небу опівночі ангел летів

По небу опівночі ангел летів
І дивний, нечуваний був його спів,
А місяць і зорі в годині нічній
Раділи тій пісні святій.

Співав він про небо, про радість святих,
Мов зіркою сяє там кожен із них,
Про Бога могутнього також співав
І славу велику Йому воздавав.

Він душу дитинки під крилами ніс
Для муки земної, турботи і сліз,
І звук його пісні в душі молодій
Зостався без слів, та живий.

І мучилась довго на світі вона
В бажаннях приємних постійно сумна,
І звуків небес не могли повторити
Всі в світі співаючі діти.

Травень, 1986 р.
Переклад вірша М.Лермонтова
«По небу в полуночи ангел летел».

Сон

На півночі дикій стоїть одинока
Покривлена вітром сосна,
Під вітром хитається й снігом сипучим
Вкривається часто вона.

І сниться їй те,
Що в пустелі далекій.
В Сахарі, де сонце пече,
Побіля струмка, щоденно у спеці
Зажурена пальма росте.

11 грудня 1991 р.
Переклад вірша М.Лермонтова.

Мені здається...

Мені здається часто, що солдати,
Які загинули від ворогів,
Не на полях поховані всіляких,
А обернулися на білих журавлів.

Вони від тих часів сумних, далеких
Летять і подають нам голос свій.
І ми завжди у миті небезпеки
Здіймаєм в небо погляди надій.

Летить по небі ключ той без зупинок,
Летить також в туманні ночі й дні,
І в тім ключі маленький є відтинок,
Що, може, зберігається мені.

Настане день — і в журавлиній зграї
Я полечу в туманній, сизій млі,
І по-пташиному з-під неба попрощаюсь
З всіма, кого залишу на землі.

18 листопада 1985 р.
Переклад російської пісні

Казкове судно Наполеона

По хвилях нічних океану,
При сяйві зірок в небесах,
Судно, як примара з туману,
На повних пливе парусах.

Не гнуться там щогли-сполуки,
І флюгери там не шумлять,
І мовчки у отвори-люки
Чугунні гармати глядять.

Не чути команд капітана,
Не видно матросів на нім,
Судну перешкода незнана
У плаванні тихім, нічнім.

Є острів в отім океані,
Похмуро в тумані стоїть,
На нім у могилі звичайній,
В труні імператор лежить.

Без шани його поховали...
На смерть тихо ворог чекав...
Ще й камінь важкий там поклали,
Щоб з гробу покійник не встав.

І в час його смерті, в неволі,
У північ, як рік настає,
До берега вчасно, поволі
Казкове судно пристає.

В ту мить імператор негайно
З могили виходить надвір,
В трикутнім брилю, як звичайно,
Одягнутий в сірий мундир.

Він схрещені руки тримає,
Схиливши на груди чоло,
Іде на судно, вирушає
І гонить щосили було...

До Франції лине, додому,
До трону і знатних родин,
Там славу залишив відому,
І сина, і гвардію він.

Лиш рідну країну побачить,
Залишену пам'ятним днем,
Тремтить його серце гаряче
І очі палають вогнем.

На берег з судна він ступає,
У мріях в надії живе:
Соратників знову скликає
І маршалів грізно зове.

Та сплять гренадери вусаті
В долині на Ельбі, де схід,
В Росії, в холодній хаті,
Під жаром пісків-пірамід...

І маршали знову не чують...
З них дехто загинув в бою,
А інші від зради нудьгують,
Продавши десь шпагу свою.

І тупнувши злісно ногою,
Він берегом далі іде,
І в думці з душею сумною
Гадає, що вихід знайде.

Він сина на поміч гукає,
Підтримку в нещасті, в журбі,
Півсвіту йому обіцяє,
А Францію — лише собі.

Та в квіті надії і слави
Запав його царствений син,
І в горі, з негідної справи
Стоїть імператор один...

Стоїть він і важко зітхає
Аж доки зажевріє схід,
І сльози в жалобі роняє
Від горя: невдалий похід.

А потім, махнувши рукою
На все, що чекав і жалів,
Сумний, як з поразки двобою,
В зворотну дорогу поплив...

Грудень, 2000 р.

*М.Лермонтов написав цей вірш
з перекладів з німецького тексту
Вейнвергом, а він з вірша Гейне.*

Християнка — героїня

Спить гордий Рим, покритий млою,
У гущині його садів,
Обняті тишею німою
Ряди палаців і дворів.
В весняній півночі мовчання
Панує всюди на горбах,
І на воді слабке блищання
В нічних пульсує міражах.
А Тибр, він смугою тією
Пливе між темних берегів,
Шумить із поміччю своєю
Із гір, збігаючих струмків.
В розкошах Нерон спочиває...
В в'язниці зимній і сирій,
Спить християнка молодая
У тишині сумній, нічній.
Були даремні намагання
Її жорстоких, злих катів,
Ні обітниці, ні прохання,
В ній віру суд не сокрушив.
На страту! Волею своєю
Приговорила старшина...
Та перед Праведним Суддею
Вже завтра з'явиться вона...
І переповнена бажанням,
Все в жертву Богу принести,
Вона іде на те страждання,
Щоб душу власну зберегти.

І сняться їй батьки в хатині,
Садки каштанів і дубів,
Спокійна річечка в долині
І мирний час дитячих днів...
Минулі зустрічі й гуляння,
Переживає, як ті сни,
І ні тривог, ні хвилювання,
В ній не пробуджують вони.
На всю земну, дзвінку розвагу,
На певну радість і печаль,
Вона вділяє їм зневагу,
В житті нічого їй не жаль.
В своїх небесних пориваннях,
Без жалю жодного й надії,
Розбила пристрасні бажання, —
Христос став ціллю її мрії.
І на вівтар Христа і Бога
Вона готова принести
Все, чим увінчана дорога,
Що їй судилося знести.

II

Піднявшись гордо над рікою,
Палац Нерона мирно спить,
Кругом зеленою стіною
Із кипарисів ряд стоїть.
В пахучім мороці втопає
І мирно спить чудовий сад,
А місяць повний сріблом сяє
У водах тих, де водоспад.
А там, гігантською пилою

Сягають гори в небеса,
І, як плащем, покрита млою
Ота нічна уся краса.
Все спить. Один Альби завзятий
Сумний сидить біля вікна,
Важкою думою узятий,
Забрала сон йому вона.
Жах християн — патріцій славний,
Герой, прославлений війною,
Всіх звичок раб, на диво, явний,
Сумний, схилився головою.
А здалеку юрба, гуляння,
Німою, скритою, важкою,
Невгасна дума і страждання
Стискає дух йому нудьгою.
І дума так його бентежить
Отим блаженством неземним,
Уява мрії пильно стежить
Картини дивні перед ним.
І у теплі ясної ночі
Він бачить образ дорогий,
Кохані риси, сині очі
І образ милий і святий.

III

З тих пір, як діва молода
На суд приведена була,
В грудях проснулася німа
Його душа, з глухого сну.
Пустим життям, розпусти повний,
Пориви чисті він убив,
Та правди дух, тягар гріховний,

Мечем караючим розбив.
Він кару діві об'являє,
(Палацу й Риму гордий син),
Але потроху відчуває,
Що став в душі християнин...
Слова невільниці чудові,
Він, як бальзам душі, ловив
І світ великий віри, в мові,
Міцне коріння в нім пустив.
Перемогли любов і віра
Оману тих минулих днів,
І горду душу, правда щира
Розбила вмить від гарних слів.

IV

Зоря промінням сяйнула
Нараз в блакитних небесах,
І млу, як хвилі сколихнула,
Засяяла в горах, горбах,
А згодом сонце засіяло
На сході славою своєю,
Яскравим диском випливало,
Щоб всім світити над землею.
Проснувся Рим. Народ юрбою
В амфітеатр з дітьми спішить
І наче хвилею морською
Цирк повний голосно шумить,
А в ложі знаті вбраної багато
В пурпурнім одязі своїм,
Сидить Нерон, «залитий» в злато,
І вірні друзі разом з ним.
З своєю думою сумною

Альби-патрицій поміж них
Схилився в смутку головою
У мріях вищих, неземних.

Юрба шумить нетерпеливо,
На усіх зайнятих місцях,
Аж двері з гратами, скімливо
В іржавих скрипнули петлях.
І на арену з того краю
Тигриця вийшла молодая...
Із того боку в ході умілій
Зайшла з розп'яттям у руках
Невільниця в одежі білій,
З твердою певністю в очах.
І гомін натовпу людського
Змінився в тишу враз німу,
Як знак захоплення такого,
Красу узрівши неземну.
Альби, схилившись головою,
Блідий, мов тінь, сумний стояв...

* * *

І раптом враз перед юрбою,
Чудовий голос пролунав:
«В останній раз я відкриваю
Мої тремтячії вуста,
Прости, мій Рим, бо я вмираю
За віру в Господа — Христа!
І в цей момент мого гоніння,
Моїм прощаю я катам,
За них останнєє моління
Несу високим небесам!
Нехай не судить їх Спаситель

За кров пролитую мою,
Нехай прийме їх Бог — Учитель
В родину славную свою!
Хай світло чистої науки
Він покладе у їх серця
І рай любові, запоруки,
В них буде жити без кінця!»

Вона замовкла і мовчання
В усіх тривало на вустах,
Неначе справжнє співчування
В ту мить сіяло в їх серцях.

Нараз з стільця перед юрбою
З вогнем в очах постав Альби,
Промовив: — «Я умру з тобою...
Мій Рим, і я — християнин!..»

Здригнувся цирк, загув, проснувся,
Як ліс весняною порою,
І звір теж злякано пригнувся,
Прокравшись тихо під стіною...
Тигриця нишком підступила
Повзучи, начеб то змія...
Стрибок... і землю обкровила
Ріки червона течія.

Святиню смерті і страждання
Рим диким криком очорнив,
І сильний шум рукоплескання
Мольбу останню заглушив...

Грудень, 1993 р.
Переклад з поеми С.Я.Надсона

Дівчина з таверни

Дівчину, з таверни порту Варна,
Покохав англійський капітан,
Дівчину з очима, як у сарни,
І волоссям сірим, як туман.

Покохав її русяві коси,
Губ червоних випуклий овал,
В славу їх, підвипивши матроси,
Випивали не один бокал...

Здалека подібні на малюнки
Всі, вздовж берега будівлі й маяки...
Чарували дівчину дарунки:
Золоті перстені, ланцюжки...

Кожний рік з липневими вітрами,
Незважаючи на хвилі і туман,
Білий бриг з коштовними дарами
Приганяв англійський капітан.

Напрягаючи до втоми очі сині
Капітан здоров'я не жалів, —
Гнав його до Варни, до богині,
Зір якої серце полонив.

А вона привітно так і жваво
Дарувала ласки чарівні,
Та на щось там гордо, величаво
Кинула безжаліснеє «Ні!»

Він пішов засмучено й хапливо
«Будь щаслива!» — проказати зміг...
І дивилась дівчина тужливо
Як відплив уранці білий бриг...

248

Капітана роздуми гнітили
Про оте безжалісне слівце,
Вирішив він, навіть до могили,
Вже не бачить дівчини лице...

І на другий рік до порту Варни,
Коли вщух липневий ураган,
Вже до дівчини з очима, як у сарни,
Не вернувся гордий капітан.

А вона у смутку і з сльозами,
В самоті дивилася з вікна,
І чекала днями і ночами
На появу знаного човна.

Цілий рік зажурена ходила,
Уникала друзів і вина,
Часом в Бога помочі просила...
І згасала тиха й мовчазна.

В вишині кружляли альбатроси,
Зникли хмари і морський туман...
Дивувались молоді матроси
Що сумний був їхній капітан...

Таємницею залишилась причина
Всім знайомим його морякам,
Що його зажурена дівчина
Кинулася в море з маяка...

Квітень, 2002 р.
Переклав по пам'яті з російської пісні
часів Другої світової війни.

Зміст

Моя родина

Розмаїття настроїв

Переклади

Олекса Даріан

Джерела пам'яті

Тираж: 400 прим.